INTRODUCTION TO AMERICAN CULTURE

アメリカの文化を知ろう

CULTURE-HISTORY-POLITICS-ECONOMY

亀井俊介
監修

杉山直子
澤入要仁
荒木純子
渡邊真由美

NAN'UN-DO

はしがき

アメリカは未開の荒野に、インディアンと呼ばれる先住民が自然と密着した生活を営んでいる大陸でした。そこへ17世紀の初頭からヨーロッパ人が移住し始め、インディアンを征服し、さまざまな戦争をくり返しながら建設してきた、言ってみれば新参者の国家です。「アメリカに文化などあるか」というのが、世界の先進国の人々の思いでした。

1820年、シドニー・スミスという有名な批評家は、当時イギリスで最も有力だった評論雑誌『エディンバラ・レビュー』で、有名な文句を吐きました–「この地球上で、いったい誰がアメリカの本を読んだり、芝居を見たり、絵や彫刻を鑑賞したりするだろうか」と。もちろんそんな人はいやしない、というわけです（『アメリカ文化年表』1820年の項参照）。

日本でも、知識人の間で、同じような見方がはやったものです。明治20年代、日本もようやく近代国家としてやっていける自信ができ、日本の伝統を重んじる風潮がたかまってくると、長い歴史をもつヨーロッパには精神的「文化」があるが、アメリカには低俗な物質的「文明」しかないとして、これを軽蔑する傾向が強まりました。この見方はしだいに激しさを増し、1930年、文芸評論家から政治家になった池崎忠孝は『世界を脅威するアメリカニズム』という本で、「キネマを見、ドライヴを楽しみ、ラヂオを聴き、スポーツを喝采し、昼はクラブに入びたってカルタを弄《もてあそ》び、夜はダンス・ホールに尻を据えて男女の自由な交際を謳歌するといふ」生き方をアメリカニズムと呼び、「恰《あたか》も利那の官覚的刺激をもって無上の悦楽とする未開人を選ぶところはない」と罵倒しました。

しかしアメリカの文化は、一面ではこんなふうに軽蔑され、否定されながらも、他面ではたいそう魅力を認められて、ものすごい勢いで日本に入ってきています。私たちは最近、平成の天皇が退位し、令和の新天皇が即位されるに際し、「三種の神器」が厳粛に受け継がれるところをTVなどで見たところですが、1960-65年頃、日本中の一般庶民が「三種の神器」と称して買い求めるのに懸命だったのは、テレビ、電気洗濯機、電気冷蔵庫、そして65-70年頃に追い求めた「3C」とは、カラー・テレビ、ルーム・クーラー、マイ・カーの、いずれもアメリカ文化の産物でした。ただ、いま余りにも多くのアメリカ文化が入ってきているので、私たちは目新しさを感じず、鈍感になってしまっています。その結果、私たちはともすれば文化そのものに対して鈍感になり、私たちの生活までが文化的活気を失ってきているのではないでしょうか。

この際、アメリカの文化に目を向け直し、その成り立ちを調べたり、その特色を理解したりすることは、私たち自身の文化を活性化し、その中身を豊かにすることにつながるのではないか。私たちはそういう思いからアメリカ文化の歴史的な展開を簡潔に、しかも生き生きと伝えることを目指して、『アメリカ文化年表』（2018年刊）をあらわしました。しかし若い人たちにアメリカの文化をもっとさらに「生きた」形で知ってもらうためには、その文化に直接関係する英語文献を読んでもらうのが最もよい方法だと思い、このテキストを編むことにしました。

具体的には、アメリカ文化の展開の中から14のとりわけ興味深いトピックを選び、それぞれについて簡単な解説をした後、歴史的な背景などを年表形式で紹介し、それから歴史上有名なドキュメントや、小説・詩歌などの古典的な文学作品、あるいは時事的な評論文などを配しました。いろんなタイプの英文を読むことになると思いますが、どれも熟読玩味に値する作品だと思います。

すでにもうおわかりのことと思いますが、私たちは文化を精神的なものとだけは受け止めていません。文化とは英語で言えばculture、「耕作」とか、「栽培」とか、「教化」とかと通じる言葉です。文学や芸術も、もちろん立派な文化ですが、アメリカは荒野から出発した国ですから、道路とか建物とか、人間の「生」を向上させるものはすべて文化と考えます。先に述べた「三種の神器」や「3C」も立派な文化であるわけです。

こう言うと、なるほどアメリカは日常的で物質的な文化は発達させたけれども、精神的な文化についてはやはり貧弱じゃないか、という意見が出るかもしれません。私はそれは間違いではないかと思います。むしろ精神文化の強烈さに驚かされることがあります。アメリカ文化がまだ原初的だった植民地時代にも、その例は容易に見出されます。

1630年、ピューリタンと呼ばれるキリスト教徒1,000人ほどのグループがボストンを中心とするニューイングランドに移住した時、指導者ジョン・ウィンスロップの説教にもとづいて“city on a hill”（丘の上の町）を建設することを使命としました。「丘の上の町」というのは、キリストの有名な説教の中に使われる文句で、いつも人に仰ぎ見られ“the light of the world”（世の光）となるべきものの意味です。単なる聖書の文句の引用ですが、植民地の建設にこんな崇高な目標をかかげた例は、他にないでしょう。そしてもちろん、現実にはこの教えに背くことを植民地はくり返すのですが、何かことあると、この使命が再確認され、アメリカの理想が説き直されることにもなるのです。大変な精神的力をもった文句と言えそうです。

もう一つ、1787年に成立した合衆国憲法の前文が“We the People”（われら人民）という言葉で始まり、その人民が合衆国憲法をordain（制定）し、establish（確立）する、と言い切っていることに私は仰天し、感動します。Peopleという言葉がどのようにしてでき、使われてきていたか私は知りませんが、独立戦争中にそれは大きく力強い意味をもってきて、ついに国家の土台をなす言葉となったのです。言葉自体がアメリカの「文化」と言えそうです。ですから、本文中の解説（第2章参照）にもあるように、リンカンがアメリカの国家的使命として堅持を訴えた「人民の、人民による、人民のための政府」という文句に、そっくりつながって行くのです。そして20世紀に入っても、たとえば詩人のカール・サンドバーグは*The People, Yes*（1936年）という有名な詩集で、全107節にわたってpeopleを語りまくり、賛美するのです。

Peopleという言葉にはアメリカの人間と歴史が詰まっていて、精神的な価値を主張しているような気がします。日本では、たとえば「わび」、「さび」のように、なるべく人目を避ける美意識がすばらしい文化をつくることが多いですが、アメリカでは逆に、威勢のよい活動がそのまま文化となることが多いようです。「半身は馬、半身はワニ」といった粗野な人間像が魅力となって、いわばアメリカ中で騒動を巻き起こしたり、「天を摩する」ばかりに高く聳えていく建物が、アメリカ文化の象徴となったりします。またひと頃、ちょっと大袈裟に言えば、アメリカ中の公道で老若男女の人がひたすら走っている（jogging などという言葉まではやる）現象が生じました。精神的か肉体的か、発展的かあるいは自己拡散的か、もちろんいろんな要素が混じっていますが、アメリカ文化は極めてダイナミックだということが言えると思います。

アメリカの文化は、先住民の活動を別にすれば、わずか 400 年余りの間に広大な大陸にひろがって展開してきましたから、こういうダイナミズムに加えて、時代性にも富んでいます。もちろん時代を越えて発展してきた文化も多いですが、ある特定の時代に人目を引いた文化現象も少なくありません。そこで本書では、目次をご覧になれば明らかなように、アメリカ文化の展開を 4 つの時代に分け、本書のもとになった『アメリカ文化年表』の 4 人の共著者が、その 1 つずつを受け持つことにしました。4 人は互いに意見を交換し、議論し合いましたが、最終的にはそれぞれの分担部分について責任を持つことといたします。各章のテーマについて、解説について、とくに英文テキストについて、読者の率直なご意見やご教示をいただけたら、この上ない幸いです。

亀井俊介

執筆担当　第 1 部　荒木純子
第 2 部　澤入要仁
第 3 部　渡邊真由美
第 4 部　杉山直子
監修　亀井俊介

Download Audio

音声ファイル
無料 DL
のご案内

このテキストの音声を無料で視聴（ストリーミング）・ダウンロードできます。自習用音声としてご活用ください。
以下のサイトにアクセスしてテキスト番号で検索してください。

https://nanun-do.com　テキスト番号［**512056**］

※ 無線 LAN（WiFi）に接続してのご利用を推奨いたします。

※ 音声ダウンロードは Zip ファイルでの提供になります。
お使いの機器によっては別途ソフトウェア（アプリケーション）の導入が必要となります。

目　次

chapter 1

ポカホンタスの神話

白人を救うインディアンの娘

キャプテン・ジョン・スミスによるヴァージニアの地図（1624 年）

ポカホンタスはアメリカの子どもにとって最も有名なインディアンの物語のヒロインである。英国からやってきて、今のアメリカ合衆国における最初の植民地をヴァージニアに建設したキャプテン・ジョン・スミスの命を、少女ポカホンタスが救ったというのである。これが史実かどうかは疑わしいものの、インディアンの土地を白人が支配することを正当化するできごととして、多くの人が信じる「神話」となった。

実際のポカホンタスはポーハタン族の首長の娘であり、白人入植地で捕虜となっていた仲間を引き取る代表を担うなど、入植者にとってもインディアンを象徴する存在であった。スミスの英国帰国後、誘拐されて白人社会で生活するうちに洗礼を受けレベッカと名乗り、インディアンが使用していたタバコの栽培法を開発したジョン・ロルフに見初められて結婚した。その後ロルフとともにロンドンに渡り、インディアンの王妃として英国社交界でもてはやされた。国王にも謁見するなど北米での植民地成功の宣伝の役割も果たしたが、そのまま病死した。

ポカホンタスのこの劇的な人生は、さまざまな物語や劇や詩を通じて後世に伝わり、そのイメージも変容していく。ポカホンタスを描いた 17 世紀の版画と比べると、19 世紀の肖像画では肌の色合いも白くなり、インディアンらしさを映すものは腕輪の羽や髪飾り、手にしたタバコ道具のキセル程度である。自然と調和して生活するインディアンが「高貴なる未開人」として憧れの対象に変わった 18 世紀をへて、ロマンティックな自然観の影響を受けた結果だと考えられる。現在でも、ポカホンタスの神話はディズニー長編アニメ『ポカホンタス』（1995）、また実写版映画『ニューワールド』（2005）などと、文学・映像作品にインスピレーションを与え、インディアンのイメージの源として生き続けている。

1607 ヴァージニア会社、植民者 105 名をヴァージニアに送り、ジェイムズタウンに英国初の恒久的北米植民地を建設する。飢えやマラリアで、半年で半数が死亡。

1608 軍人で植民地のリーダーの一人ジョン・スミス、『ヴァージニア真実記』(ヴァージニア植民地に関する最初の記録) 出版。

1612 ジョン・スミス『ヴァージニア地図』出版。ヴァージニアの初期の詳しい紹介。
ジョン・ロルフ、ヴァージニアでタバコの栽培、商品化に成功。1614 年より英国へ本格的に出荷。

1614 ジョン・ロルフ、ポーハタン族首長の娘ポカホンタスと結婚。

1616 ポカホンタス、夫ジョン・ロルフと共に渡英し、アメリカのプリンセスとして社交界でもてはやされ国王とも会見するが、翌年英国で病死。

1624 ジョン・スミス『ヴァージニア、ニューイングランド、およびサマー諸島総史』出版。ポカホンタス神話の起源となる部分を含む。

1805 英国の水夫上がりの旅行記作家ジョン・デイヴィス、小説『ヴァージニアの最初の植民者たち』で初めてポカホンタスを登場させ、好意的に描く。

1808 ジェイムズ・ネルソン・バーカー、ポカホンタスを主題とした劇『インディアンの王女』を上演、出版。1820 年にはロンドンでも上演され、米国初演の演劇が海外で上演される最初の例となる。台詞と音楽が完全にからみあったメロドラマ。

The General History of Virginia, New-England, and the Summer Isles

by Captain John Smith

At last they* brought him* to Werowocomoco,* where was Powhatan,* their Emperor. Here more than two hundred of those grim Courtiers stood wondering at him, as he had been a monster; till Powhatan and his train* had put themselves in their greatest braveries.* Before a fire upon a seat like a bedstead*, he sat covered with a great robe, made of Raccoon skins, and all the tails hanging by. On either hand did sit a young wench* of 16 or 18 years, and along on each side the house, two rows of men, and behind them as many women, with all their heads and shoulders painted red; many of their heads bedecked* with the white down of Birds; but every one with something: and a great chain of white beads about their necks. At his entrance before the King, all the people gave a great shout. The Queen of Appamatuck* was appointed to bring him water to wash his hands, and another brought him a bunch of feathers, instead of a Towel to dry them: having feasted him after their best barbarous manner they could, a long consultation was held, but the conclusion was, two great stones were brought before Powhatan: then as many as could laid hands on him, dragged him to them, and thereon* laid his head, and being ready with their clubs to beat out his brains, Pocahontas the King's dearest daughter, when no entreaty* could prevail,* got his head in her arms, and laid her own upon his to save his from death: whereat* the Emperor was contented* he should live to make him hatchets, and her bells, beads, and copper; for they thought him as well of all occupations as themselves. For the King himself will make his own robes, shoes, bows, arrows, pots; plant, hunt, or do anything so well as the rest.

they: インディアンのこと　**him:** ジョン・スミスを指す　**Werowocomoco:** ウェロウォコモコ（地名）　**Powhatan:** ジェイムズタウン周辺のインディアン部族の同盟の名称ポーハタンのことで、その指導者も指す。ここではポカホンタスの父のこと　**train:** 列　**bravery:** 華やかさ　**bedstead:** ベッドの枠　**wench:** 召使いの若い女　**bedeck:** 飾る　**Appamatuck:** ヴァージニアのインディアンのアポマトック族　**thereon:** その上に　**entreaty:** 懇願　**prevail:** 効果がある　**whereat:** そこで（関係詞）　**content:** 満足させる

from Captain John Smith, *The Complete Works of Captain John Smith (1580-1631)*, Philip L Barbour, ed. (Chapel Hill and London: University of North Carolina Press, 1986), vol. 2, pp.150-51.　スペリングを現代化。

キャプテン・ジョン・スミスは1607年に英国初の恒久植民地ジェイムズタウンを建設した指導者の一人である。若い頃から冒険心に富み、ヨーロッパ各地で戦争に加わった軍人でもあった。新大陸探検にも意欲的で、発見だけでなく、地図を作成したり、新世界の自然の豊かさを鮮やかに描いたりして、英国に住む人々の想像力や冒険心を掻き立てた。1609年の帰国後、ジェイムズタウンに戻ることはなかったが、1614年の探検で発見したエリアをニューイングランドと名付けた。のちにニューイングランドに渡ったピューリタンもスミスの著作を携行するなど、現在のアメリカ合衆国への植民をスミスの功績抜きで語ることはできない。

このようにさまざまなことに熱心に取り組んだスミスは多くの文章を残しているが、ポカホンタスに命を救われたことに触れているものは、1624年出版のこの『ヴァージニア、ニューイングランド、およびサマー諸島総史』だけである。抜粋部分はインディアンに捕らえられ、首長のところに連れて行かれた場面で、まさしく「神話」の起源となる箇所である。スミスの頭に棍棒がまさに振り下ろされんとする瞬間にその頭を腕で包み込んで守るポカホンタスの姿は、真実かどうかはともかく、たいへん劇的である。

ポカホンタスの版画（Simon van de Passe, 1616年）

ポカホンタスの肖像画（Mary Cowdeu Clarke, *World Noted Women*. New York：D. Appleton and Company, 1883）

chapter 2

「丘の上の町」

ピューリタンの使命

ケンブリッジ第一教会からハーヴァード大学に向かって行進する卒業生の列（Eliza Susan Quincy、1836 年）

ヴァージニア建設の十数年後に北部ニューイングランドへの植民が始まった。その中心をなしたのは、英国では得られない信仰の自由を求めたキリスト教徒、ピューリタンたちであった。聖書を読むために識字率も高く、説教や日記などが多数残っている。それらには「丘の上の町」“city upon/on a hill” の表現に象徴されるように、自分たちは神に選ばれた存在で、その使命を全うしなくてはならないという意識が見られる。ピューリタンは家族で移住したため人口も増え、植民地は経済的にも文化的にも発展し、アメリカ社会における保守的な白人エリート支配者層の文化の源となった。

しかしボストンを中心に栄えたピューリタン主流派にしても、世代が変わると信仰心も薄れ、教会も規則を緩めざるを得なくなった。反対に、魔女狩りや信仰復興運動など、信仰への回帰が極端な形で表れることもあった。それでも「丘の上の町」の使命感とそれを支えるキリスト教には、理念が先行するアメリカという側面がよく表れており、現代アメリカの文化を考える上でも重要である。

City on a Hill

1620　分離派ピューリタンのピルグリムズ、プリマス植民地の建設開始。

1630　会衆派ピューリタン、マサチューセッツ湾植民地建設、総督ジョン・ウィンスロップ、植民地は「丘の上の町」たれとの説教をなす。

1636　マサチューセッツの現ケンブリッジにハーヴァード・カレッジ（現在のハーヴァード大学）が創設される。

1638　北米植民地最初の印刷機がマサチューセッツに到着。翌年、北米最初の英語の印刷物、マサチューセッツの公文書「自由人の誓い」、それに暦が印刷される。

1639　プリマスの女性が姦通で有罪判決、刑罰は鞭打ちと左袖に AD（姦通女 Adulteress の意）の印を着けることで、着用違反の場合は額に焼き印をおすとされた。ナサニエル・ホーソーンの長編小説『緋文字』（1850、p.35 参照）はこの刑罰に着想を得ている。

1650　マサチューセッツの女性アン・ブラッドストリートの『最近アメリカに出現した第十番目の詩神』、ロンドンで出版される。アメリカ植民地人の手になる最初の詩集。英国人女性としても初の詩集出版であった。

1692　マサチューセッツのセイラムで魔女狩り。翌年までに裁判で魔女とされた 19 人が処刑され、1 名が拷問中圧死、5 名が獄死。北米で最大かつ最後の魔女事件となった。

1734　ノーサンプトン教会牧師のジョナサン・エドワーズ、説教『聖なる超自然的光』出版。この頃よりニューイングランドに「大覚醒」と呼ばれる信仰復興運動が始まる。

A Model of Christian Charity

by John Winthrop

Now the only way to avoid this shipwreck* and to provide for our posterity is to follow the counsel of Micah:* to do justly, to love mercy, to walk humbly with our God. For this end we must be knit together* in this work as one man. We must entertain each other in brotherly affection. We must be willing to abridge ourselves of* our superfluities* for the supply of others necessities. We must uphold a familiar commerce* together in all meekness,* gentleness, patience, and liberality.* We must delight* in each other, make others conditions our own, rejoice together, mourn together, labor and suffer together, always having before our eyes our commission and community in the work, our community as members of the same body.

So shall we keep the unity of the spirit in the bond of peace,* the Lord will be our God and delight to dwell among us as his own people and will command a blessing* upon us in all our ways, so that we shall see much more of his wisdom, power, goodness, and truth than formerly we have been acquainted with. We shall find that the God of Israel* is among us, when ten of us shall be able to resist a thousand of our enemies, when he shall make us a praise and glory, that men shall say of succeeding* plantations, the Lord make it like that of Massachusetts.

For we must consider that we shall be as a city upon a hill;* the eyes of all people are upon us. So that if we shall deal falsely* with our God in this work we have undertaken and so cause him to withdraw his present help from us, we shall be made a story and a byword* through the world. We shall open the mouths of enemies to speak evil of the ways of God and all professors* for God's sake. We shall shame* the faces of many of God's worthy servants and cause their prayers to be turned into curses upon us til* we be consumed* out of the good land whither* we are a going.*

shipwreck: 難破。神との約束を守れない場合に人間が払うことになる代償を指す　**counsel of Micah:** 旧約聖書ミカ書6章8節「人よ、何が善であり主が何をお前に求めておられるかはおまえに告げられている。正義を行い、慈しみを愛し、へりくだって神と共に歩むこと、これである」（新共同訳）という教えを指す　**be knit together:** 強く結ばれるという意味　**abridge ~ of:** ～から奪う（古い用法）　**superfluity:** 余り　**commerce:** つきあい　**meekness:** 柔和　**liberality:** 寛大　**delight:** 喜ぶ（この場合は自動詞）　**we keep the unity of the spirit in the bond of peace:** 新約聖書エフェソの信徒への手紙4章3節「平和のきずなで結ばれて、霊による一致を保つように努めなさい」（新共同訳）による　**command a blessing:** 祝福を与える　**God of Israel:** 旧約聖書のイスラエルに植民地をなぞらえ、自分たちが選ばれた民であることを意識した表現で、神のこと　**succeeding:** 続く

from Daniel T. Rodgers, *As a City on A Hill: The Story of America's Most Famous Lay Sermon* (Princeton and Oxford: Princeton University Press, 2018), p. 307.

a city upon a hill: 新約聖書マタイによる福音書5章14節「あなたがたは世の光である。山の上にある町は、隠れることができない」（新共同訳）から　**falsely:** 偽って　**byword:** 嘲笑の的　**professor:** 信仰を告白する（profess）人のこと　**shame:** 面目をつぶす　**til:** till　**consume:** 消滅させる　**whither:** ～するところへ（場所を表す関係詞）　**a going:** 進行して（agoing）

マサチューセッツ湾植民地の総督となるジョン・ウィンスロップが、会衆派ピューリタンを率いて英国を発つ前の1630年3月21日に行った説教が『キリスト教的慈愛のひな形』である。ヴァージニア植民地や先だって出発した他グループのピューリタンによるプリマス植民地（1620年）などの建設とその後のようすを見据え、ウィンスロップが考えたことは、自分たちの信仰を守るための、正しいキリスト教教会を作るという今回の植民事業の目的を成功させることであった。そのためこの説教ではまず、当時の英国の王制という身分社会のあり方が神の愛の機能が果たされるモデルであることを確認する。その上で植民地の指導者たちはキリスト教の中心的価値である慈愛の精神に則り、恵まれない人たちを守って社会の調和をはかるべきで、このことこそが神から与えられた使命だと説いている。ウィンスロップは牧師ではなかったが、当時、一般の信徒が説教形式で考えを表現することはよくあることだった。

抜粋部分はこの説教の精神性を伝えるエッセンスともいえる、もっとも有名な部分で、植民者たちが一体となり、お互いを思いやりながら、神の望む方向に進まなければならないという。そして、自分たちは神によって新世界に派遣され、それを全世界が見守っている、失敗したら代償を払わないといけないだけでなく、神の権威も失墜するので失敗できないという覚悟と自意識が、「丘の上の町」という聖書の表現で象徴されている。

この文書は19世紀まで存在を知られていなかったが、冷戦期にアメリカの存在意義を考える歴史学者たちによって取り上げられるようになった。「丘の上の町」は今でも多くの政治家が言及する有名な表現だが、そのきっかけは冷戦の緊張がもっとも激しい1980年代にロナルド・レーガン大統領が好んで用い、アメリカが国際舞台で「丘の上の町」として繁栄するモデルであることを強調したことにある。世界を引っ張っていくというアメリカの使命感と自負が共存している。

「少年よ、大志を抱け」で知られる札幌農学校のウィリアム・クラークに教わった内村鑑三は、このような使命感を持って始まったアメリカはピューリタンらしい厳格さを兼ね備えた気高い国であるという敬意を抱いていた。しかし1884年に渡米した際、拝金主義と人種差別の蔓延を目の当たりにして、そのとき感じた落胆を*How I Became a Christian*（邦題『余は如何にして基督信徒となりし乎』）に記している。

chapter 3

「われら人民」

合衆国の土台

「アメリカ独立宣言」採択の図（John Trumbull、1819年）。現在は連邦議会議事堂内に掲示され、2ドル紙幣裏面のデザインにも採用されている。

1776年7月4日、北米の13すべての植民地の代表者が大陸会議に集まり、満場一致で独立宣言を採択した。「すべての人は平等に作られている」としたこの文書は、それまでの神中心の世界、王が人民を支配する社会を否定し、人民自身が民主的な社会を生み出す大きな契機であった。人民が新しい国を作るというこの考え方は、国の枠組みを定めた合衆国憲法の前文の冒頭「われら人民」にもよく表れている。

独立宣言では、すべての人が普遍的に持つ、他人が奪うことのできない権利として「生命、自由、幸福の追求」を挙げている。しかし黒人奴隷の例を挙げるまでもなく、当時文字通りにすべての人が「幸福の追求」をすることができたとは考えにくい。その後の多くの議論や対立を越え、性差や人種にとらわれず、さまざまな志向を持つ市民それぞれの「幸福の追求」が可能となるよう、アメリカ社会はその建国の理念を追求し、今も変化し続けている。

明治日本の知識人も新しい国アメリカの思想を学んだ。福沢諭吉が『学問のすゝめ』（1872）で書いた「天は人の上に人を造らず人の下に人を造らず」も、この独立宣言の影響を受けている。

We the People

1752　ペンシルヴェニア議会が鐘を注文、旧約聖書中の文句「自由をあらゆる地のすべての人々に告げよ」を刻み、後に「自由の鐘」と呼ばれるようになる。

1764　英国議会の植民地政策に対し、「代表なくして課税なし」"No taxation without representation" のスローガンのもと、英国製品の不買運動始まる。

1765　英国議会、印紙法制定。植民地各地で英国の支配に抵抗すべく「自由の息子たち」「自由の娘たち」などと名乗るグループなど、反対運動を起こす。

1770　ボストン駐留の英軍が民衆に発砲、5人の植民地人が死亡。いわゆる「ボストン虐殺」事件。

1773　英国議会、茶法制定。輸入された茶を海に投げ捨てた「ボストン茶会」事件はじめ、植民地側の反対運動広がる。

1775　パトリック・ヘンリー、ヴァージニア議会で「我に自由を与えよ。然らずんば死を与えよ」"Give me liberty, or give me death" と演説。
レキシントン・コンコードの戦い。独立戦争始まる。

1776.7.4　大陸会議、「独立宣言」"Declaration of Independence" を採択。以後、採択日の7月4日は独立を覚えて祝われるようになる。

1777　星条旗を国旗に採用。

1783　英国とパリ平和条約調印。アメリカ合衆国の独立が承認され、ミシシッピ川以東の領土を獲得。

1787　憲法制定会議、フィラデルフィアのインディペンデンス・ホールで開催され、草案が成立する。翌1788年発効。

独立記念日に当時の服装をする人々。ニューヨーク歴史協会にて。

"Give Me Liberty Or Give Me Death!"

by Patrick Henry

It is in vain, sir, to extenuate* the matter. Gentlemen may cry, Peace, Peace — but there is no peace. The war is* actually begun! The next gale* that sweeps from the north will bring to our ears the clash of resounding arms! Our brethren are already in the field! Why stand we here idle? What is it that gentlemen wish? What would they have? Is life so dear, or peace so sweet, as to be purchased at the price of chains and slavery? Forbid it, Almighty God!* I know not what course others may take; but as for me, give me liberty or give me death!

extenuate: 酌量する　**is:** has　**gale:** 疾風。北部から届く便りの切迫感の比喩　**Almighty God:**（間投詞として）ああ

南部の弁護士パトリック・ヘンリーが1775年3月20日、ヴァージニア議会で行った有名な演説である。議決権のない植民地に対して一方的に印紙法、茶法など次々に課税を決める本国に、武力で対抗することを訴えた。「自由か死か」という締めくくりでの自分の胸を突く仕草とともに、この演説は大きな話題になったという。抜粋は最後の部分で、武力で英国に敵わないと心配する人たちに、隷属的支配から脱するためには戦うしかないと説く。この演説のひと月後の4月19日、北部のマサチューセッツではレキシントン・コンコードの戦いが始まった。

ヘンリーは政治家として今ひとつ成功しなかった。しかし「自由の聖地」アメリカを代表する人物として、明治初期の日本では多大な尊敬を集めた。この「自由か死か」に、武士道の価値観と通じる面があったからである。明治15年（1882年）に板垣退助が暴漢に襲われたとき、この演説を踏まえ「板垣死すとも自由は死せず」と言ったと伝えられている。

The Declaration of Independence

We hold these truths to be self-evident, that all men are created equal, that they are endowed by their Creator with certain unalienable* Rights, that among these are Life, Liberty and the pursuit of Happiness. — That to secure these rights, Governments are instituted among Men, deriving their just powers from the consent of the governed, — That whenever any Form of Government becomes destructive of these ends*, it is the Right of the People to alter or to abolish it, and to institute new Government, laying its foundation on such principles and organizing its powers in such form, as to them shall seem most likely to effect* their Safety and Happiness. . . .

unalienable: 奪うことのできない　**institute:** 制定する　**end:** 目的　**effect:** 目的を果たす

from Patrick Henry, "Give Me Liberty Or Give Me Death," March 23, 1775.
The Avalon Project http://avalon.law.yale.edu/18th_century/patrick.asp

「独立宣言」はのちの第 3 代大統領トマス・ジェファソンが起草した。冒頭で社会契約論の考え方に則り、自然権を奪う英国王の支配から脱することが理にかなうと宣言する。そして抜粋部分で有名な「すべての人は平等に作られている」「生命、自由、幸福の追求」によりその自然権について説明する。こののち、英国王がどれだけ植民地の人の権利を侵害してきたかが列挙されている。

この「すべての人」に誰が含まれるかが時代を追って議論されるのがまた、人民の国アメリカである。1848 年の女性の権利大会で採択された「所感の宣言」では「すべての男性と女性」と言い換えられ、また 1963 年のキング牧師「私には夢がある」の演説では「すべての白人と黒人」と言い換えられて、アメリカ建国の理念をさらに追求していくことになる。

The Constitution of the United States

6

Preamble*

We the People of the United States, in Order to form a more perfect Union,* establish Justice, insure* domestic Tranquility, provide for the common defence, promote the general Welfare, and secure the Blessings of Liberty to ourselves and our Posterity, do ordain and establish this Constitution for the United States of America.

preamble: 前文　**Union:** 国家を指すアメリカ特有の表現　**insure:** 保障する（ensure）

アメリカ合衆国憲法は現存する各国の憲法で最も古い。国家の枠組みを定義した、普遍性を持つ文書だといえよう。この前文では、独立宣言と同様に、新しい国の理念を象徴的に伝えている。それは王制から共和制へと大転換を起こした「われらアメリカ合衆国の人民」が「より完璧な国家」を形成することを誓うものである。

その国家が分断の危機に瀕した南北戦争のさなか、激戦地ゲティスバーグでエイブラハム・リンカン大統領は演説を行った。87 年前に採択された独立宣言を踏まえ、「人民の人民による人民のための」政府 “government of the people, by the people, for the people” を滅ぼしてはいけないと締めくくるその有名な演説は、人民の国アメリカの理念を再確認したものだといえる。

from “Declaration of Independence: A Transcription” In Congress, July 4, 1776.
https://www.archives.gov/founding-docs/declaration-transcript
from “The Constitution of the United States: A Transcription”
https://www.archives.gov/founding-docs/constitution-transcript

chapter 4

「半身は馬」

西部の化身デイヴィ・クロケット

「クロケット大佐によるミシシッピー川の渡り方」
http://www.loc.gov/exhibits/treasures/tr22b.html#obj33
酒樽を腰へ結わえ、高い下駄と長い杖を使って大河を渡っている。この図版は、1826年、クロケットがニュー・オリンズで売る樽板を平底船に積んでミシシッピー川を下ったとき、途中で船が転覆、川に投げ出されたエピソードに基づく。万事休すと誰もが息を呑んだが、クロケットは川面を歩いていたという。*The Life and Adventures*

20世紀に至るまで、アメリカ合衆国の歴史は版図拡大の歴史だった。独立戦争を戦った13の植民地の面積は合わせて約97万平方キロにすぎなかったといわれる。ところが1783年のパリ平和条約によって総面積は倍増、約230万平方キロとなった。さらに1803年、フランスからルイジアナを購入した結果、ふたたび倍増し約444万平方キロとなった。19世紀末には、現面積に近い936万平方キロとなっている。約120年間で10倍に増えた計算である。

この規模の領地拡大が、個人あるいは個人を中心とした小さな集団によって実現した例は歴史上、類をみない。かつて強大な軍隊を率いた国家が広大な土地を征服した例はあった。けれどもアメリカの場合、開拓者個人が、素朴な武器だけをたよりに、家族や家畜をひきつれ、徒歩（のちには馬車や鉄道）で西へ向かって800万平方キロ以上を開拓したのである。やがてこの西漸運動は、神が定めた米国・米国人の必然として「マニフェスト・デスティニー（明白な運命）」と呼ばれるようになった。

個人の活躍は神話的人物を作り出した。その代表がテネシーの開拓農民から連邦下院議員になったデイヴィ・クロケットである。クロケットは芝居、伝記、暦などを通して19世紀前半を代表する西部の化身となり、「奥地から出てきたばかり。半身は馬、半身はワニ。ちょっとスッポンにも似ている。ミシシッピー川を歩いて渡り、オハイオ川をひとっとび。稲妻にまたがり…熊を抱きしめては苦しめる」と伝えられた。それは「弾よりも速く、力は機関車よりも強」いという20世紀のスーパーマンに野性とユーモアを加味した「超人」だった。

David Crockett

1786　デイヴィッド（デイヴィ）・クロケット、現在のテネシー州東部の辺境に生まれる。初等教育を数ヶ月受けただけの開拓農民・猟師。

1804　メリウェザー・ルイスとウィリアム・クラークの探検隊、セント・ルイスから大陸横断の途につく。ミシシッピー川の支流ミズーリ川を西へ遡ってロッキー山脈を越え、太平洋へ達する。2 年 4ヶ月後に帰還。

1807　ロバート・フルトンの設計による蒸気船ノース・リヴァー・スチームボート号、ニューヨークからオルバニーまでハドソン川を遡航する。蒸気船時代の到来。

1811　カンバーランド国道着工。メリーランド州カンバーランドから西へアリゲニー山脈を越え、1833 年にはオハイオ州コロンバスに至る西部進出の幹線道路となる。

1821　クロケット、テネシー州下院議員となる（～1824 計 2 期）。

1827　クロケット、連邦下院議員となる（～1831, 1833～1835 計 3 期）。

1828　ボルティモア＝オハイオ鉄道の建設始まる。米国は鉄道時代に入る。

アンドルー・ジャクソン、大統領に就任。初の西部人（サウス・カロライナの辺境の生まれ）で庶民階級出身の大統領となる。ジャクソニアン・デモクラシーの開始。

1831　ジェイムズ・カーク・ポールディングの芝居『西部のライオン』好評。主人公の「ライオン」ニムロド・ワイルドファイア大佐はクロケットをモデルとした破天荒な辺境開拓者。「半身は馬、半身はワニ。ちょっと地震や蒸気船にも似ている」と自己紹介する。

1833　マシュー・セント・クレア・クラーク、『デイヴィッド・クロケット大佐の生涯と冒険』匿名出版。ポールディングによる神話化を拡大する。クロケット自身は 1834 年、もう少し正確な自伝『デイヴィッド・クロケットの生涯の物語』を刊行。

1835　「クロケット暦」出現。この年から 1856 年までに約 50 冊、さまざまなものが出る。暦としての一般的な情報（月齢・潮の満干・農作業の適期等）の他に、クロケットを中心とした西部の神話的人物をめぐるほら話 tall tale が掲載されていた。

1836　アラモの戦い。サン・アントニオの伝道所アラモを守るクロケットら 187 名のアメリカ人義勇兵がメキシコ軍に包囲され全滅。「アラモを忘れるな」の合言葉のもと、メキシコに対する戦意昂揚。クロケットの死も顕彰を招く。

A Narrative of the Life of David Crockett of the State of Tennessee

by David Crockett

About this time there was a great squirrel hunt on Duck river, which was among my people. They were to hunt two days: then to meet and count the scalps,* and have a big barbecue, and what might be called a tip-top* country frolic.*... I joined one side, taking the place of one of the hunters, and got a gun ready for the hunt. I killed a great many squirrels, and when we counted scalps, my party was victorious.

The company had every thing to eat and drink that could be furnished in so new a country, and much fun and good humour prevailed. But before the regular frolic commenced, I mean the dancing, I was called on to make a speech as a candidate; which was a business I was as ignorant of as an outlandish* negro.

A public document I had never seen, nor did I know there were such things; and how to begin I couldn't tell. I made many apologies, and tried to get off, for I know'd* I had a man to run against who could speak prime, and I know'd, too, that I wa'n't able to shuffle and cut with* him.... But I found I couldn't get off, and so I determined just to *go ahead*,* and leave it to chance what I should say. I got up and told the people, I reckoned they know'd what I come for, but if not, I could tell them. I had come for their votes, and if they didn't watch mighty close,* I'd get them too. But the worst of all was, that I couldn't tell them any thing about government....

At last I told them I was like a fellow I had heard of not long before.* He was beating on the head of an empty barrel near the road-side, when a traveler, who was passing along, asked him what he was doing that for? The fellow replied, that there was some cider* in that barrel a few days before, and he was trying to see if there was any then, but if there was he couldn't get at it. I told them that there had been a little bit of a speech in me a while ago, but I believed I couldn't get it out. They all roared out in a mighty laugh, and I told some other anecdotes, equally amusing to them, and believing I had them in a first-rate way, I quit and got down, thanking the people for their attention. But I took care to remark that I was as dry* as a powder horn,* and that I thought it was time for us all to wet our whistles* a little; and so I put off to the liquor stand, and was followed by the greater part of the crowd.

scalps: （リスの）頭皮　**tip-top:** 極上の　**frolic:** お祭り騒ぎ　**outlandish:** 片田舎の　**know'd:** 正しくは knew　**shuffle and cut with:** ～と張り合う、対抗する　***go ahead*:** クロケットのモットーは "Be always sure you're right—Then go ahead!" だった

from David Crockett, *A Narrative of the Life of David Crockett of the State of Tennessee* (1834; Lincoln: University of Nebraska Press, 1987), pp. 140–42.

watch mighty close: すごく近くで（細かく）見張る。mightyは強意の副詞　**not long before:** 最近　**cider:** リンゴ酒　**dry:** 酒を断ったの意味もある　**powder horn:** 角製の火薬いれ。つねに乾燥をたもつ必要がある　**whistles:** 口、のど

この英文は、1834年の自伝『デイヴィッド・クロケットの生涯の物語』から、州議会議員に立候補して、はじめて選挙運動なるものを体験してみた部分である。とくに演説の言葉に詰まったあげく口から出た、樽の中に残ったリンゴ酒のたとえは、民衆が理解しやすい、日常に根ざしたたとえであるだけでなく、すばやい機転やすぐれた知恵がクロケットに備わっていたことを示している。

デイヴィー・クロケットは神話と事実が入りまじっていて一筋縄ではいかない。そこで、アンドルー・ジャクソンと比較対照することによって理解を助けたい。

ジャクソンは現在のサウス・カロライナ州の辺境に生まれた。父を生前に失い、苦学ののち20歳で弁護士、29歳でテネシー州から連邦下院議員に選出された。ジャクソンより19歳若いクロケットの方は、現在のテネシー州の辺境に生まれ、大した教育をうける必要もなく、開拓農民として少しずつ西へ移動した。じっさい学校嫌いでもあったという。

両者はやがてクリーク戦争（1813-14）をともに戦う。ジャクソンは大佐として米軍を指揮、クロケットは軍曹として斥候をつとめた。英雄となったジャクソンは1828年、大統領選に当選する。ときに61歳。初の西部出身・庶民階級出身の大統領だった。真の民主主義の幕開けである。他方、同じ頃、クロケットはかつてのジャクソンと同様、テネシー州から連邦下院議員に選出された（ただし選出区は異なる）。もちろんジャクソン派である。ジャクソン時代の気運を体現する「アライグマ帽の代議士」として話題をさらう。41歳のことである。

けれどもまもなくクロケットはジャクソンと袂を分かつ。「生まれつき備わっている道理」を信じていたため、権力争いに腐心するジャクソンを民衆の味方と思えなくなったからである。ジャクソンの、悪名だかいインディアン強制移住法（1830年）にも反対した。

この頃からクロケットの神話化がはじまった。まずは1831年、ジェイムズ・カーク・ポールディングによる芝居『西部のライオン』が連邦下院議員となるワイルドファイアという野生人を描いていた。そこには「半身は馬、半身はワニ」という口上が含まれていた。1833年には、反ジャクソン勢力が民主党批判に利用しようと『デイヴィッド・クロケット大佐の生涯と冒険』を出版。芝居にも使われていた荒唐な表現を利用して、神話を拡大再生産した。

1833年、クロケットは反ジャクソン勢力の応援を得て、通算3期目の連邦下院議員となったが、35年の選挙では民主党の力に屈した。まもなく、さらに西へ向かい、テキサスの独立運動に参加、アラモの戦いで絶命した。みずからのモットー「自分が正しいと確かめよ、それから先は前進」を体現したかのような最期もクロケットの神話化に貢献した。

chapter 5
蒸気船

マーク・トウェイン、「驚異の本」を読む

ロバート・E・リー号（右）とナチェズ号（左）の競争（1870）
Life on the Mississippi (1883; New York: Oxford University Press, 1996), p. 204.

1860年には、独立戦争以降に増えた新しい土地（18の州および2の準州）に住む人々の数が、独立13州に住んでいる人口とほぼ同じになっていた。驚くべき変化である。この傾向は、1810年代から顕著になっていた。

その背景にあったのが交通手段の発達である。たとえば1825年にはエリー運河が開通し、五大湖とニューヨークが結ばれた。その運河を通行するようになるのが蒸気船だった。道路の整備も進んだ。その代表が前章の年表にも掲げた1811年着工のカンバーランド道路である。

けれどもやがて鉄道が交通手段の中心となる。運河や蒸気船の役割を鉄道が取ってかわったからだ。鉄道の時代を象徴するのが、1869年の大陸横断鉄道の完成である。それはアメリカ史の画期となる事業であり、詩人ウォルト・ホイットマンをして、大陸横断鉄道・大西洋海底ケーブル・スエズ運河をへて東へ延びる「インドへの道」をも空想させるものだった。

19世紀後半になると、荒削りの西部の文化が東部で認められはじめる。けれどもそこに描かれる西部は、やがて過去の西部であることが多くなってゆく。文明の進出を受け、西部が未知の世界ではなくなり、開拓者時代の西部が過去のものとなりつつあったからである。1891年には、国勢調査局によってフロンティアの消滅が宣言された。ダイム・ノヴェルと呼ばれる安価な大衆小説などから始まった西部劇も、数十年前の西部を利用していたのである。それは西部の神話化のはじまりだった。

西部が未知の魅力や困難を備えていた時代と、西部が文明によって懐柔された時代とのはざまに立っていたのがマーク・トウェインだったといえる。彼が描いたハックルベリー・フィンも、そのはざまで真の新しい自由を模索した少年だった。

Mark Twain

1835　マーク・トウェイン（本名サミュエル・ラングホーン・クレメンズ）、当時の辺境ミズーリ州フロリダに生まれる。1839年、ミシシッピー川沿いの村ハンニバルへ移る。

1848　カリフォルニアのサクラメント渓谷で金が発見される。翌年、本格的なゴールド・ラッシュ始まる。金を求め「49年者」と呼ばれる人々が殺到。
トウェイン、印刷工見習いとなる。1851年、兄オライオンの週間新聞に様々なペンネームを使って記事を書きはじめる。

1857　トウェイン、一攫千金を夢見てアマゾンへ渡ろうとミシシッピー川をニュー・オーリンズへ下る途中、蒸気船の水先案内人に弟子入り。1859年、免許取得。ただし蒸気船の最盛期は終わりかけていた。

1861　トウェインの兄オライオン、前年の大統領選挙でリンカーンを応援した報償としてネヴァダ準州の事務長官に。トウェインも自称「私設秘書」として同行、ロッキー山脈を越える。

1865　トウェイン、短篇「ジム・スマイリーと跳び蛙」発表。のち「キャラヴェラス郡の名高い跳び蛙」と改題。作家マーク・トウェインが誕生する。

1867　トウェイン、サンフランシスコの新聞の「遊軍特派員」としてニューヨークに滞在。さらにヨーロッパおよび聖地を周遊する5ヶ月の団体旅行に参加する。1869年、その旅行の記録を『おのぼりさん外遊す』（邦訳『赤毛布外遊記』）として刊行。トウェインの文名あがる。

1869　大陸横断鉄道完成。東から延伸したユニオン・パシフィック鉄道と西から到達したセントラル・パシフィック鉄道がユタのプロモントリーで結ばれる。

1876　トウェイン、長篇『トム・ソーヤの冒険』出版。

1882　トウェイン、ミシシッピー川を再訪。セント・ルイスからニュー・オーリンズへ下り、南北戦争後の変化を目の当たりにする。翌年、回想記『ミシシッピー川の生活』出版。川の歴史や自身の体験を回想した第1部と、前年の再訪を記録した第2部とからなる。

1884　トウェイン、長篇『ハックルベリー・フィンの冒険』出版（イギリス版はこの年、アメリカ版の日付は1885年）。「アメリカの現代文学はこの一冊をもって始まる」（アーネスト・ヘミングウェイ）。

Life on the Mississippi

by Mark Twain

"I can't tell you. It is an instinct. By and by you will just naturally know [a bluff reef*] from [a wind reef*], but you never will be able to explain why or how you know them apart."

It turned out to be true. The face of the water, in time, became a wonderful book—a book that was a dead language to the uneducated passenger, but which told its mind to me without reserve, delivering its most cherished secrets as clearly as if it uttered them with a voice. And it was not a book to be read once and thrown aside, for it had a new story to tell every day. Throughout the long twelve hundred miles there was never a page that was void of interest, never one that you could leave unread without loss, never one that you would want to skip, thinking you could find higher enjoyment in some other thing. There never was so wonderful a book written by man; never one whose interest was so absorbing, so unflagging,* so sparklingly renewed with every re-perusal. The passenger who could not read it was charmed with a peculiar sort of faint dimple* on its surface (on the rare occasions when he did not overlook it altogether); but to the pilot that was an italicized passage*; indeed, it was more than that, it was a legend of the largest capitals, with a string of shouting exclamation points at the end of it….

Now when I had mastered the language of this water and had come to know every trifling feature that bordered the great river as familiarly as I knew the letters of the alphabet, I had made a valuable acquisition. But I had lost something, too. I had lost something which could never be restored to me while I lived. All the grace, the beauty, the poetry had gone out of the majestic river! I still keep in mind a certain wonderful sunset which I witnessed when steamboating was new to me. A broad expanse of the river was turned to blood; in the middle distance the red hue brightened into gold, through which a solitary log came floating, black and conspicuous;* in one place a long, slanting mark* lay sparkling upon the water; in another the surface was broken by boiling, tumbling rings,* that were as many-tinted as an opal; where the ruddy* flush was faintest, was a smooth spot that was covered with graceful circles and radiating lines, ever so delicately traced….

I stood like one bewitched.* I drank it in, in a speechless rapture.* The world was new to me, and I had never seen anything like this at home. But as I have said, a day came when I began to cease from noting the glories and the charms which the moon and the sun and the twilight wrought upon the river's face; another day came when I ceased altogether to note them….

from Mark Twain, *Life on the Mississippi* (1883; New York: Penguin Books, 1986), pp. 94–95.

bluff reef: 断崖の礁、それによる川面の波形　**wind reef:** 風のいたずらによって、礁が存在するかのようにみえる川面の波形　**unflagging:** だれることがない　**dimple:** さざ波　**passage:** 文章の一節という意味と船の進路という意味を掛けている　**conspicuous:** よく目立つ　**mark:**（何かの痕跡のような）線　**boiling, tumbling rings:** 荒れてもまれる水の輪　**ruddy:** 赤らんだ　**bewitched:** 魔法にかけられた　**rapture:** 陶酔状態

少年時代、マーク・トウェインは蒸気船乗りになりたかった。蒸気船の姿が美しいだけでなく、その来訪が、普段は死んだ町のようであった故郷ハンニバルを活気づける唯一のものだったからである。村の友人が機関士見習いになったときには嫉妬した。黒く油に汚れた服で通りを闊歩する姿をみると憎らしかった。多くの少年たちがこの友人のあとを追って蒸気船乗りになった。けれども蒸気船乗りのうち、水先案内人こそ花形だった。牧師 1 年分の給料を 2ヶ月で稼ぐことができたからである。じっさい少年の頃のマーク・トウェインも幾度となく蒸気船へのぼって、水先案内人との面会を求める直談判を繰り返していた。これは 1840 年代を回想したものと思われる。

1857 年、21 歳になったトウェインは名水先案内人ホラス・ビクスビーに弟子入りする。59 年、免許を得て、念願の水先案内人になった。計 18 隻に乗り込み、無事故を通したらしい。けれども 61 年、南北戦争により蒸気船が止まり失業。あこがれの蒸気船乗りの生活は長くは続かなかった。

1882 年、ミシシッピー川を再訪してみると、環境が一変していた。かつて 1 マイルに渡って蒸気船が連なっていた場所にわずか 6 隻しか碇泊していなかった。蒸気船は鉄道に取ってかわられ、すっかり凋落していたのである。

『ミシシッピー川の生活』から上に引いた英文は、水先案内人になる修行中、トウェインが味わった一連の経験を回想した部分である。冒頭のセリフはビクスビーのセリフ。やがてトウェインは川面を読み取ることができるようになるが、絶えず変化する川面を興味のつきない「驚異の本」にたとえているところが秀逸である。それは再読するたびに新たな魅力をきらめかせる本だった。次のページに待ちかまえている新しい喜びを味わうためにページをめくらずにはいられない本だった。

後半は、ミシシッピー川という自然をマスターしたトウェインがある種の喪失感を抱きはじめる部分だ。強大な自然を征服することは、未知なる自然の魅力を失うことも意味していた。川面を読みとる術を修得して喜んだはずのトウェインが、さびしい空しさも抱くようになったのである。そして、かつて目撃したミシシッピーの美しい夕焼けを思い出す。それは blood, red, gold, black, opal, ruddy といった多様な色や光を呈しながら変化する夕焼けであって、広大で神秘的な光景だった。

chapter 6

『アンクル・トムの小屋』

大戦争を引き起こした本

「ヘイガーとアルバート」
Uncle Tom's Cabin (Boston: Houghton, Mifflin and Company, 1888), p. 143

奴隷制廃止は、主としてクエーカー教徒たちによって、すでに植民地時代から唱えられてきた。その結果、北部ではロード・アイランド（1774 年）から奴隷制が廃止されはじめ、1846 年をもって北部の奴隷制は消滅した。北部では奴隷への経済的依存が小さかったからである。

他方、南部ではタバコや綿花を栽培するために奴隷の労働力が必要だった。綿繰機が発明され綿花栽培が増えると、奴隷がいっそう重要となった。そのため、西部の新しい土地を連邦に組み入れるとき、そこを奴隷州とできるかいなかは南部にとって喫緊の重大事となった。たとえばミズーリの州昇格（1820 年）にあたっては、新たにメインを自由州として作ること、西部の新しい土地のうち北緯 36 度 30 分以北に奴隷州を作れないことを譲歩しながら、ミズーリを奴隷州として確保した（ミズーリ妥協）。

1861 年、南北戦争が始まる。その直接の契機は 1860 年末に始まる南部諸州の連邦離脱であるが、その離脱の背景にあったのが奴隷制問題だった。そしてその奴隷制問題を一部の運動家の問題から多くの北部人の心の問題へと変化させたのがハリエット・ビーチャー・ストウの小説『アンクル・トムの小屋』（1852）である。その意味ではこの小説は南北戦争の遠因のひとつだったといえる。1862 年、リンカン大統領はストウと初めて対面し、「そうですか、あなたがこの大きな戦争を引き起こした本を書いた小さな女性なのですね」と述べたという。

『アンクル・トムの小屋』は世紀のベストセラーとして普及しただけではない。国内で多数の言語に翻訳され、廉価版や子供向けのリライト版も出版されるなど、多様な形をとって社会に浸透した。それは芝居としても人気だった。とくにジョージ・エイケンによる脚色が有名である。書物よりも芝居を通した影響力の方が大きかったという説もあるくらいだ。

なお、1865 年の憲法修正第 13 条発効をもって合衆国の奴隷制は廃止されたことになっている。けれども、それ以降 20 世紀後半にいたるまで様々な公民権法が制定されてきたということは、奴隷制廃止によって人種をめぐる問題が解決したわけではないことを示している。

Harriet Beecher Stowe

1804 南部黒人奴隷の逃亡を助ける「地下鉄道」の組織が作られはじめる（〜1860 年）。

1811 ハリエット・ビーチャー（のちのハリエット・ビーチャー・ストウ）、厳格な牧師ライマン・ビーチャーの娘としてコネティカット州に生まれる。

1831 ウィリアム・ロイド・ギャリソン、奴隷の即時解放を求め、週刊新聞『解放者』（〜1865 年）をボストンで創刊。「私は声を大にする。」

1838 黒人奴隷フレデリック・ダグラス、メリーランドからマサチューセッツへ逃亡、奴隷解放に働きはじめる。1845 年、奴隷体験記の代表作といわれる自伝『フレデリック・ダグラスの半生』出版。

1838 ジョン・グリーンリーフ・ホイッティア、『詩集』出版。作品の約半数を反奴隷制の詩が占める。

1850 （第 2 次）逃亡奴隷取締法成立。逃亡奴隷への援助を禁じる。ストウが強い危機感。

1852 ストウ、『アンクル・トムの小屋』出版（初出は週刊新聞『ナショナル・イラ』に連載、1851〜52 年）。米国史上初の 100 万部を突破するベストセラーとなる。
ジョージ・エイケン、これを劇化し、ニューヨーク州トロイで 100 日のロング・ラン。以後『アンクル・トムの小屋』を道徳劇として上演した「トム・ショー」が続出する。
スティーヴン・フォスター、「なつかしきケンタッキーのわが家」作詞作曲。ミンストレル・ショー向けの黒人風英語ではなく、標準英語の歌詞で書き、「トム・ショー」の舞台でテーマソングのごとく歌われる。

1859 ジョン・ブラウン、ヴァージニア州ハーパーズ・フェリーの連邦軍兵器庫を襲撃。奪った武器によって黒人の決起を図ったが、逮捕され、12 月 2 日、処刑される。
ヘンリー・デイヴィッド・ソロー、「ジョン・ブラウン隊長の弁護」を講演。ブラウンの処刑をイエスの磔にたとえる。まもなくラルフ・ウォルド・エマソンも弁護に立ちあがる。

1859 ストウ、小説『牧師の求婚』出版。1869 年には『オールドタウンの人々』刊行。ニューイングランドの過去を描いてローカル・カラー文学の先駆けとなる。

1861 南軍、サウス・カロライナ州内にある連邦軍のサムター要塞を攻撃、陥落させる。南北戦争の始まり。

1863 リンカン大統領、奴隷解放宣言発布。戦時中のため実効力はないものの北部の戦意高揚に貢献。1865 年、終戦後、憲法修正第 13 条（奴隷制廃止）発効。

Uncle Tom's Cabin

9

by Harriet Beecher Stowe

About eleven o'clock the next day, a mixed throng was gathered around the court-house steps,… waiting for the auction to commence.* The men and women to be sold sat in a group apart, talking in a low tone to each other. The woman who had been advertised by the name of Hagar was a regular* African in feature and figure. She might have been sixty, but was older than that by hard work and disease, was partially blind, and somewhat crippled with rheumatism. By her side stood her only remaining son, Albert, a bright-looking little fellow of fourteen years. The boy was the only survivor of a large family, who had been successively sold away from her to a southern market. The mother held on to him with both her shaking hands, and eyed with intense trepidation* every one who walked up to examine him.

… The stentorian* tones of the auctioneer, calling out to clear the way, now announced that the sale was about to commence. A place was cleared, and the bidding began. The different men on the list were soon knocked off* at prices which showed a pretty brisk* demand in the market….

"Come, now, young un,*" said the auctioneer, giving the boy a touch with his hammer, "be up and show your springs,* now."

"Put us two up togedder,* togedder,—do please, Mas'r," said the old woman, holding fast* to her boy.

"Be off," said the man, gruffly,* pushing her hands away; "you come last. Now, darkey,* spring;" and, with the word, he pushed the boy toward the block, while a deep, heavy groan rose behind him. The boy paused, and looked back; but there was no time to stay, and, dashing* the tears from his large, bright eyes, he was up in a moment.

His fine figure, alert* limbs, and bright face, raised an instant competition, and half a dozen bids simultaneously met the ear of the auctioneer. Anxious, half-frightened, he looked from side to side, as he heard the clatter* of contending bids,—now here, now there,—till the hammer fell. Haley* had got him. He was pushed from the block toward his new master, but stopped one moment, and looked back, when his poor old mother, trembling in every limb, held out her shaking hands toward him.

"Buy me too, Mas'r, for de* dear Lord's sake!—buy me…."

commence: はじまる　**regular:** 純然たる、完全な　**trepidation:** 恐怖、戦慄　**stentorian:** 大音声の　**knocked off:** 落札される　**brisk:** 活発な、景気のいい　**un:** one　**springs:** ジャンプ　**togedder:** together　**fast:** しっかり、きつく　**gruffly:** ぶっきらぼうに、声あらく　**darkey:** 黒人に対する蔑称　**dashing:** ぬぐう　**alert:** 敏捷な　**clatter:** やかましい声

from Harriet Beecher Stowe, *Uncle Tom's Cabin* (New York: Norton, 1994), 102–105.

Haley: 奴隷商人の名。すでにトムを購入したが、女性奴隷イライザとその息子ハリーには逃げられた　**de:** the

ベストセラーとなった『アンクル・トムの小屋』は、フェミニン・フィフティーズとも呼ばれる、女性作家による女性向けの作品が多く書かれた1850年代に出版された。そのためその時代の典型的なセンチメンタル小説と考えられてきた。あるいは、トムが抵抗することなく殺されることから、「アンクル・トム」という名前は白人に従順で自尊心のない黒人を意味する蔑称にもなった。

けれども、この作品は涙を誘うことのみを意図した悲話ではなかったし、トムの死も黒人が受け入れるべき運命として描かれていたのではなかった。じつは、トムを奴隷として所有する白人一家の娘エヴァやトム自身の死は、無力な人間がなしうる最大の抵抗であって、イエスが人類に代わって受け入れた死にも匹敵する象徴性をもっていた。『アンクル・トムの小屋』はレジスタンスの文学だったのである。弱者の悲劇を描いて満足しているのではなく、作者も登場人物も拳を振りあげていたのである。その他、女性奴隷イライザが幼子を抱えてオハイオ川の流氷の上を逃げる躍動的な場面描写や、いたずらな黒人娘トプシーやわがままな白人妻メアリーなど個性あふれる人物造形も、文学作品としての価値を証明していた。

また『アンクル・トムの小屋』の中で、奴隷制の非人間性や社会改革の必要を痛感し、行動に出た人物たちが主に女性だったことも注目に値する。もちろん主人公のトムは人間愛に満ち、信仰の篤い男性として描かれているが、無力ながらもじっさいに行動を起こしたのは女性たちだったのである。たとえばトムが働いていたケンタッキーのシェルビー家の主人アーサーは、善良な紳士であって奴隷たちに優しい。けれども奴隷制がもつ根本的矛盾にまったく気づいていなかった。奴隷売買を罵ったのは妻のエミリーの方だった。トムを買ったニュー・オーリンズのセント・クレアもトムに同情し、トムの解放を約束する。けれどもセント・クレアをそう動かしたのは、娘のエヴァだった。加えて、小さな息子を抱きながら逃亡するという無謀で危険な行為を敢行したのはイライザという女性奴隷だった。イライザはやがてカナダで夫と再会し、自由の国リベリアへ移住する。このように、本小説の中では、女性の方が社会悪に敏感であり、それを正そうとする行動力を持っていた。社会における女性の重要な役割を示す文学作品となっていたのである。たしかに『アンクル・トムの小屋』は女性の参政権運動など、女性の権利拡大を説く小説ではない。けれども女性が社会改革を導こうとしている点はフェミニズム文学の先駆けともいえる。

上に掲げた英文は、『アンクル・トムの小屋』のうち、トムを買った奴隷商人ヘイリーがあらたにオークションで奴隷を購入する場面である。司会進行係や入札者という白人男性の音声によって、リューマチを患う女性奴隷ヘイガーと寡黙な息子アルバートが次第に引き離されてゆく。このオークションが、正義を明らかにするはずの裁判所court-houseの前で行われていることも皮肉である。

chapter 7
万国博覧会

「世界の八番目の不思議」

「コロンビア万博の大博覧車」
http://www.loc.gov/pictures/item/2006680018/

18 世紀末から 19 世紀にかけて、アメリカは発明の時代だった。多くの発明家が日常の生活に根ざした実用的・実際的なものを創出した。やがてエディソンが「発明工場」（1878）を作って、優秀な人材による研究を始めるようになると、発明もチームで進められるようになる。もはや発明家個人による「発明」ではなく、集団による「開発」となっていったのである。

19 世紀の後半は実業家の時代でもあった。天才的実業家があらわれ、現代アメリカのビッグ・ビジネスに通じる企業を築きあげた。もちろん彼らの傲慢や腐敗はしばしば批判された。けれども彼らの出現は「ボロ着から金持ちへ」というひとつの理想の体現でもあった。また、鉄鋼王アンドルー・カーネギーがその著書『富の福音』（1889）のなかで説いたように、彼らは富を公共へ還元すべきと考え、こぞって大学や美術館を寄贈した。

19 世紀の発明家と実業家の融合的象徴が万国博覧会である。じじつ 19 世紀後半は万博の時代でもあった。アメリカの万博は 1853 年のニューヨーク万博から始まるが、その目玉は 1851 年のロンドン万博を模した水晶宮だった。けれどもフィラデルフィア万博（1876）をへてシカゴ万博（1893）に至ると、アメリカの発明や科学技術をありのまま誇示できるようになった。とくに 1889 年のパリ万博の華だったエッフェル塔に対抗してシカゴに築かれたものが観覧車であったことは意義ぶかい。それは「世界の七不思議」と数えられていた、エジプトのピラミッドなどの巨大な建造物とならんだ「世界の八番目の不思議」とみなされただけでなく、最新の科学技術と民主主義的な娯楽との合体であった。

World's Fairs

1810 16 歳のコーニーリアス・ヴァンダービルト、ニューヨークのスタテン島とマンハッタンとの間に小型フェリーの運航を開始。やがて海運王に。1867 年、ニューヨーク・セントラル鉄道の社長に就任し、鉄道王に。

1853 ニューヨーク万国博覧会開催。ロンドン万博（1851 年）にならって水晶宮を呼び物とする。

1859 『ニューヨーク・タイムズ』紙、海運王ヴァンダービルトを、ライン川航行に法外な料金を課したドイツの男爵たち barons にたとえる。やがて、19 世紀後半のビッグ・ビジネスを率いる実業家たちはロバー・バロン（強盗貴族）と呼ばれる。

1870 ジョン・D・ロックフェラー、石油会社スタンダード・オイル設立。1911 年に解体されるまで、アメリカの石油精製をほぼ独占する。石油王の誕生。

1872 アンドルー・カーネギー、ベッセマー法を用いるエドガー・トムソン製鋼所をペンシルヴェニア州に建設。1892 年、カーネギー製鋼会社へ発展させ、鉄鋼王に。

1873 マーク・トウェイン、チャールズ・ダドリー・ウォーナーとの共著『金ぴか時代』出版（日付は 1874 年）。この小説の表題を借りて投機と汚職のこの時代を「金ぴか時代」（～1890 年）という。

1876 フィラデルフィアで万国博覧会（建国 100 年を記念）開催。高さ 21 メートルのコーリス蒸気エンジンが最大の呼び物となる。日本も出品。ウィーン万博（1873）に続いて 2 度目の公式参加となる。

1877 トマス・エディソン、蓄音機発明。1879 年には実用白熱電球を、1891 年には活動写真撮影機キネトグラフおよび覗きめがね式映写機キネトスコープをそれぞれ発明する。

1884 ニュー・オーリンズ万国博覧会（綿花輸出 100 年を記念）開催。のちに日本へ帰化して小泉八雲と名乗るラフカディオ・ハーン、日本館を見物し、日本の工芸に関心を抱く。

1893 シカゴ万国博覧会（コロンブスのアメリカ「発見」400 年を記念し、コロンビア万国博覧会ともいう）開催。古典様式の白い展示館を集めたホワイト・シティと雑多な娯楽施設を集めたミッドウェイ・プレイザンスからなる。6ヶ月の開催期間に計 2,700 万人以上が来場する。世界初の近代的観覧車が最大の呼び物。

*Humors of the Fair**

by Julian Hawthorne

One of the first things that caught your eye as you trundled* slowly into town across the prairie, was the huge double-circle* of the Ferris Wheel,* lifting itself above all other structures, and bearing round and round its horse-cars* full of people.

...Before the thing got into running order, I took for granted that it would revolve at the speed of an ordinary carriage-wheel, and that I should be spun round that enormous arc in about half a minute at the most. After exhausting my imagination with fancying how that would feel, ... I found that its rate of progress was as majestically deliberate* as its proportions were vast. In fact, when you come to think of it, no perimeter* devised by man could do other than* fly off the spokes, were the speed to be much increased. But, were speed only practicable,* what a soaring and what a plunge that journey would be!

As it is, the sensation is that of being carried in a circular elevator, with a conservative elevator-boy at the break.* The new sensation consists in your being able to look over the edge and see just how far up you are getting.... If you are subject to that insane impulse to jump off from great heights, you will be able to enjoy it to the full during the ride....

...Evidently, we all set forth with the conviction that the Fair was not going to be a place for showing one's best clothes in,... In a word, we are sensible and democratic; we are The People. The Society with a big S contingent,* if it is here at all, is invisible.... It is swamped, disseminated, annihilated.* It has no place and no significance here. It might have an exhibit, and in that case I dare say we should all have gone to look at it, just as we got to see the Mound Builders* and the Ostrich farm.* But as a living, operating phenomenon, Fine Society is not in it with* us. We don't need it here, and that fact seems to indicate that its presence may not be absolutely essential to our existence anywhere. This may turn out to be one of the lessons of the Fair....

...Fine Society is so well advertised in this country, it keeps itself so much in evidence.... As a matter of fact, it has no real power or place in America whatever; it is a grotesque exotic, and having no roots, it will presently wilt* and be improved out of the way.* The United States consists of the common people, and will be governed by it; they (the people) make it, own it, and will run it, as this Fair amply demonstrates.

Fair: シカゴ万博のこと。万博は一般に world's fair や international exhibition などと呼ばれ

from Julian Hawthorne, *Humors of the Fair* (Chicago: E. A. Weeks, 1893), pp. 16–17, 38–40.

る **trundled:** とぼとぼ歩く **double-circle:** ゴンドラの両側を吊っていた二重の円環のこと **Ferris Wheel:** 観覧車のこと。設計者ジョージ・フェリスの名にちなむ。シカゴ万博の観覧車だけでなく、現在でも一般にこう呼ばれる **horse-cars:** 観覧車のゴンドラのこと。最大 60 名収容できる巨大なゴンドラだった **deliberate:** ゆっくりとした **perimeter:** 観覧車の外周部分 **no ~ other than ...:** どんな～も必ず･･･する **were speed only practicable:**（そのような速い）速度が実際に使えるとしたら **at the break:** 休憩中の **Society with a big S contingent:** 大文字の S が伴う Society、すなわち上流社会 **swamped, disseminated, annihilated:**（人々の波に）飲み込まれ、ばらばらになって、無力となった **Mound Builders:** かつて北米に繁栄し土墳 mound を各地に築いたが、のち絶滅したとされる先住民。「考古学館」に、発掘品とミニチュア土墳が展示されていた **Ostrich farm:** 万博の敷地のうち、娯楽施設を集めた「ミッドウェイ」に置かれていた「ダチョウ牧場」のこと **not in it with ~:** ～にはかなわない **wilt:** しぼむ **be improved out of the way:**（珍奇なものとして展示されるなど）不適当な使われ方をする

ジュリアン・ホーソーンは、現在ほとんど記憶されていない作家・ジャーナリストである。けれども生前はけっして無名ではなかった。（『緋文字』1850 で知られる父ナサニエルの『七破風の家』1851 と似て）先祖の悪行によって呪われた家に生まれた人物を描く『ガース』（1877）などが広く読まれていた。現在でも、伝記『ナサニエル・ホーソーンとその妻』（1884）や『ホーソーンとその周辺』（1903）は資料的価値が高い。

ジュリアン・ホーソーンの『博覧会のおもしろみ』（1893）は奇妙な万博訪問記といえる。「有益な情報とみなされうるものすべてをページからはぎとろう」としていたし、「種々のガイドブックの解毒剤」になることを意図していた。「おもしろみ」humors というタイトルの言葉からも明らかなように、それは、大理石を模して石膏で塗り固めた建物からなる「ホワイト・シティ」の張りぼてや、娯楽施設からなる「ミッドウェイ」の卑俗を批判するのでもなく、はたまた、古都ボストンの名門に生まれた知識人ヘンリー・アダムズのごとく文明の圧倒的な力を前にして絶望を味わうのでもなく、むしろ、肩の力をぬいて博覧会そのものを楽しもうとした記録となっている。

上に掲げた英文は、『博覧会のおもしろみ』のうち、観覧車の印象および観客に関する印象を述べた部分である。観覧車を見上げたときも乗ったときも、著者が無邪気な子供のごとくのびやかに「想像」imagination や「感覚」sensation を楽しんでいるところに注意しよう。後半に引いた、観客を考察した部分では、観客を大文字の “The Society”（上流社会）と対比して「私たち」や大文字の “The People”（人民）と呼んだ。しかもおもしろいことに、「ここ万博会場」here の観客論を、いつしか「この国」this country や「アメリカ」America の国民論へと一息に敷衍し、「人民が米国を形作り、所有し、何といっても動かす」とさえ述べている。それはリンカン大統領がゲティスバーグ演説（1863）で述べた有名な一節「人民の人民による人民のための政治」を思い出させるくらいだ（なお本書第 3 章「われら人民」も参照）。

chapter 8

デパートメント・ストア

消費文化の殿堂

メイシーズ（1908 年撮影）

シカゴのマーシャル・フィールズの内部。吹き抜けになっていて、一階から全てのフロアが見渡せる構造は、当時の多くのデパートメント・ストアに採用された。（1910 年ごろ）

本格的なデパートメント・ストアは、1852 年、パリのボン・マルシェに始まったとされている。デパートメント・ストア（日本語の通称デパート）は、それまでの人々の消費行動を大きく変えた。19 世紀半ばの鉄鋼製品加工とガラス加工技術の進歩によって、商品はガラスでできたショーウィンドウの中に陳列され、正札に記載された定価販売になった。人々はデパートの内部に自由に出入りし、買うことがなくても商品を見て回り、商品に魅了された。デパートは商品を見るという娯楽を提供する場となったのである。そのことにいち早く気づいたフランス人作家エミール・ゾラは『ボヌール・デ・ダム百貨店』（1883）で、パリのミドルクラスの女性たちにとってデパートに行くことそのものが娯楽となったことを描き出した。

アメリカ合衆国におけるデパートメント・ストアの本格的な開業は、19 世紀半ばのことである。ニューヨークのメイシーズ、フィラデルフィアのワナメーカー、シカゴのマーシャル・フィールド、ザ・フェアなど次々と開業、世界のデパートをリードする存在となった。1905 年にシカゴのマーシャル・フィールドを訪れた永井荷風は、ちっぽけな人間が「雲表に高く聳ゆる此高楼大廈」を建てたと思うと、「偉大なる人類発達の栄光に得意ならざるを得なくなる」と述べた（『あめりか物語』所収「市俄古の二日」)。またワナメーカーは、商品の品質保証・定価販売・返品自由を謳い、レストランを併設し、近代デパートの父とばれるようになった。しかし 1930 年代になって、より安価で日常的な商品を扱うスーパーマーケットが登場し、デパートは消費の殿堂としての地位を脅かされることになった。

Department Store

1846 アレグザンダー・T・スチュワート、ニューヨークに大規模小売店「スチュワート織物店」建設。百貨店の嚆矢とされる。

1858 ローランド・H・メイシー、ニューヨークの 6 番街と 14 丁目の角に女性用の服飾品を扱う店を開業。メイシーズの前身。

1861 本屋の店員から身を起こしたジョン・ワナメーカー、フィラデルフィアに高品質、定価販売、返品自由を販売原則とする男性衣料店をオープン。

1876 ワナメーカー、ロンドンのロイヤル・エクチェンジ、パリのレアールに似せて、自身の店をデパート化。店内にレストランを備え、78 年には電灯をつけ、八十九年には近代的エレベータを設置。広告を積極的に活用。

1877 メイシーズ、近隣の建物にまで店舗を拡大し、本格的なデパート化。

1879 フランク・W・ウルワース、5 セントと 10 セントの均一価格で売る雑貨店をペンシルヴェニア州にオープン。チェーン店として全国に拡大。

1896 ワナメーカー、アレグザンダー・T・スチュワートを買収。

1902 ニューヨーク、ヘラルド・スクェアにメイシーズ新装開店。世界初の近代的エスカレーターを備えた建物となる。後に、6 番街から 7 番街、34 丁目から 35 丁目までの一帯を占有し、「世界最大」のデパートとなる（〜2009 年）。

1923 バーニー・プレスマン、7 番街と 17 丁目に男性衣料の安売りの店をオープン。のちのバーニーズ・ニューヨーク。60 年代には高級衣料店に転換、70 年代になって女性用衣料の扱いが始まる（通信販売の普及に押され、2019 年に破産申請）。

1930 ニューヨークに、棚に並べられた商品を客が自由に手に取り、レジで会計するセルフサービス式を採用した「キングカレン」オープン。スーパーマーケットの嚆矢。

Sister Carrie

11

by Theodore Dreiser

1) …. At last she inquired of a police officer, and was directed to proceed "two blocks up," where she would find "The Fair.*"

The nature of these vast retail combinations, should they ever permanently disappear, will form an interesting chapter in the commercial history of our nation. Such a flowering out of a modest trade principle the world had never witnessed up to that time. They were along the line of the most effective retail organisation,* with hundreds of stores coordinated into one and laid out* upon the most imposing and economic basis. They were handsome, bustling, successful affairs, with a host of clerks and a swarm of* patrons. Carrie passed along the busy aisles, much affected by the remarkable displays of trinkets*, dress goods, stationary, and jewelry. Each separate counter was a show place of dazzling interest and attraction. She could not help feeling the claim of each trinket and valuable* upon her personally, and yet she did not stop. There was nothing there which she could not have used—nothing which she did not long* to own. The dainty slippers and stockings, the delicately frilled skirts and petticoats,* the laces, ribbons, hair-combs, purses, all touched her with individual desire, and she felt keenly the fact that not any of these things were in the range of* her purchase. She was a work-seeker, an outcast without employment, one whom the average employee could tell at a glance was poor and in need of a situation.*

2) There is nothing in this world more delightful than that middle state in which we mentally balance at times, possessed of the means, lured by desire, and yet deterred by conscience or want* of decision. When Carrie began wandering around the store amid the fine displays she was in this mood. Her original experience in this same place had given her a high opinion of its merits. Now she paused at each individual bit of finery,* where before she had hurried on. Her woman's heart was warm with desire for them. How would she look in this, how charming that would make her! She came upon the corset counter and paused in rich reverie* as she noted the dainty concoctions* of colour and lace there displayed. If she would only make up her mind, she could have one of those now. She lingered in the jewelry department.* She saw the earrings, the bracelets, the pins, the chains. What would she not have given if she could have had them all! She would look fine too, if only she had some of these things.

The Fair: 1897年にシカゴで安売りのデパートメント・ストアとして開業。シカゴを中心に店舗展開を行ったが、1957年にモンゴメリー・ウォードによって買収される。

from Theodore Dreiser, *Sister Carrie.* (1900; New York: W.W.Norton & Company, 1991.) 1) p.17, 2) p.51

organisation: organization　**lay out:** 配置する　**a swarm of~:** たくさんの〜　**trinket:** 細々した装身具　**valuable:** 宝飾品　**long to do:** 〜したいと渇望する　**petticoat:** スカートの下に着用したスカート型の下着　レース飾りなどがついている　**in the range of~:** 〜の範囲で　**situation:** 勤め口　**want:** 欠乏している　**reverie:** 空想　**finery:** 美しい商品のこと　**concoction:** 混成、調合　**department:** 部門

小説『シスター・キャリー』(1900) は、ジャーナリストであったシオドア・ドライサーの初めての長篇小説で、実姉をモデルにしたと言われている。物語は、中西部の地方都市出身のキャロライン・ミーバー（キャリー）が都会に出て、結婚しないまま男性と同棲したうえ、同棲相手の友人で妻子ある男性とニューヨークに駆け落ちする。駆け落ち相手が経済的に困窮するにつれて、二人の関係は破綻していく。他方でキャリーは、生活のために始めたコーラスガールで評判を得たことをきっかけにして、女優として華々しい成功を収めたところで物語は終わる。

1) は、姉を頼ってシカゴへ出てきたばかりのキャリーが、姉から下宿代を請求されてやむにやまれず仕事を探しにデパートに初めて入る場面。デパートの店員は、当時の貧しい労働者階級の若い女性たちにとって憧れの職業であった。ここに登場するデパートは、シカゴに実在する「ザ・フェア」の名が本文中に示されているが、ザ・フェアだけでなく、マーシャル・フィールド、ボストンのボストン・ストアがドライサーの念頭にあったとされる。この場面でキャリーは、デパートで売られている商品の輝きに幻惑されるが、同時に、職探し中の貧しい若い女性であって、目の前の商品を買うことができないという現実を突きつけられる。消費が娯楽となったと同時に、お金のない者にとって見せびらかしの消費が残酷なものであることを表している。
2) は、キャリーがジャケットを買うためにデパートの中を物色している場面。冬物の衣料がなく、寒さから風邪をひいて仕事を休んだために失職したキャリーが、絶望的な気分になって仕事を探してシカゴの街中を歩いていると、シカゴへの車中で知りった移動販売員のドルーエと再会する。ドルーエは、ジャケットを買うようにとキャリーに 20 ドルを手渡し、再び会うことを約束して別れる。これまで手にしたことがないような大金を持ったキャリーが、男性からお金をもらったという後ろめたさを抱えつつも、欲しくても我慢していたものを買うことができるという喜ぶ姿を描き、お金のもつ力が存分に表現されている。

chapter 9

摩天楼

アメリカ文化の象徴

The City of Ambitions「欲望の街」アルフレッド・スティーグリッツ撮影（1910）
Credit Line: Alfred Stieglitz Collection, 1949

「摩天楼」とは、天を摩する（なでる）ほどの高さを有する建物を意味し、英語のskyscraperは、sky：空とscrape：動詞のこする、からの造語である。その歴史は、19世紀後半に遡る。1871年にシカゴで発生した大火ののち、耐火性の高い建物による都市計画が急務とされた。他方で、19世紀半ばにエレベーターの落下防止装置が発明されたこと、アメリカ合衆国における鉄鋼生産が盛んになったことで、摩天楼建設の道が本格化した。

同時期、大都市、特にニューヨーク・マンハッタン島に大企業が集中するようになり、職場や住居の必要性が生じると、土地の少ないこの島では建築物を高層化することによって、問題を解消しようとした。1889年にはニューヨーク高層建築の第一号とされる11階建てのタワー・ビルが完成。初の鉄骨構造の建築物であった。1920年代から30年代になると、「世界一」の高さを競うように次々と摩天楼が建設され、現在では50階以上の建物を摩天楼と呼ぶようになっている。また高さだけではなく美しさを求めるようになり、クライスラー・ビルのように美容をもって聳え立つ摩天楼も登場した。だが2001年、世界最高の高さを誇っていた世界貿易センタービルがテロ攻撃の標的とされて崩壊したように、摩天楼はさまざまな意味でアメリカの象徴となってきている。

Skyscraper

1852　イライシャ・オーティス、建築現場用巻き揚げ機の落下防止装置を発明。摩天楼への道を開く。

1885　ホーム・インシュアランス・ビル、シカゴに完成。10 階建て（のち 12 階に増築）。鋼鉄製の柱と梁で全荷重を支える構造で、最初の摩天楼と謳われる。

1889　ニューヨーク初の摩天楼、タワー・ビル完成。11 階建て。

1890　建築家ルイス・H・サリヴァンの設計によるウェインライト・ビル、セント・ルイスに完成。鉛直方向のラインを強調し、「摩天楼の父」サリヴァンの代表作となる。

1893　ヘンリー・ブレイク・フラー『絶壁に住む人びと（*Cliff Dwellers*）』出版。シカゴの摩天楼で生きる人々の人生模様を描き、cliff-dweller が流行語に。

1913　ウルワース・ビル完成。60 階 241 メートルで世界一の高さを誇る。以後ニューヨークに林立する摩天楼の先駆けとなる。

1930　クライスラー・ビル完成。ウォルト・クライスラーの私財で建設され、頂部、壁面、内装にアール・デコ様式を採用。翌 31 年にエンパイア・ステイト・ビルが完成するまで世界一高い建築物。

1931　エンパイア・ステイト・ビル、マンハッタン 5 番街に完成。高さ 381 メートル。ニューヨークの摩天楼を代表する建物となる。

1933　映画『キングコング』上映。エンパイア・ステイト・ビルに登る場面が現代社会への攻撃を象徴。

1970　ニューヨークの世界貿易センタービル北タワー完成（南タワーは翌年完成）。417 メートルで、エンパイア・ステイト・ビルを抜き世界最高のビルとなる。設計は日系 2 世のミノル・ヤマザキ。

1973　シカゴでシアーズ・タワー完成。高さ 443 メートルで、世界最高の建築物となる（2009 年に「ウィリス・タワー」）と改名。

Breakfast at Tiffany's

12

by Truman Capote

Those final weeks, spanning* end of summer and the beginning of another autumn, are blurred* in memory, perhaps because our understanding of each other had reached that sweet depth where two people communicate more often in silence than in words: an affectionate quietness replaces the tensions, the unrelaxed chatter and chasing about that produce a friendship's more showy, more, in the surface sense, dramatic moments. Frequently, when *he** was out of town(I'd developed hostile attitudes towards *him*, and seldom used his name) we spent entire evenings together during which we exchanged less than a hundred words; once, we walked all the way to Chinatown,* ate a chow-mein* supper, bought some paper lanterns,* and stole a box of joss sticks* then moseyed* across, the Brooklyn Bridge, and on the bridge, as we watched seaward-moving ships pass between the cliffs of burning skyline, she said: 'Years from now, years and years, one of those ships will bring me back, me and my nine Brazilian brats.* Because yes, they *must* see this, these lights, the river—I love New York, even though it isn't mine, the way something has to be,* a tree or a street or a house, something, anyway, that belongs to me because I belong to it.' And I said: 'Do shut up,' for I felt infuriatingly* left out—a tugboat in dry-dock while she, glittery voyager of secure destination,* steamed down the harbor with whistles whistling and confetti* in the air.

So the days, the last days, blow about in memory, hazy, autumnal, all alike as leaves: until day unlike any other I've lived.*

span:～にわたる　**blur:** ぼんやりさせる　**he:** ヒロイン **Holly Golightly** のブラジル人の婚約者のこと　**Chinatown:** マンハッタンの中国人街。西はブロードウェイ、東はイースト・ブロードウェイ、北はデランシ・ストリート、南はチェンバーズ・ストリートに囲まれた地区をさす　**chow-mein:** 五目焼きそば　**paper lantern:**（紙製の）提灯　**joss sticks:** 線香　**mosey:** ぶらぶら歩く　**brat:** 悪ガキの意。ここではこれから生まれてくるであろう子供たちを慈しみをこめてこう呼んでいる　**infuriatingly:** 激昂して　**the way something has to be**：ニューヨークの何らかの部分が自分のものとなるような方法　**secure destination:** 行く先がはっきりと定まっている　**confetti:** 紙吹雪　**any other I've lived:** any other の後ろに days が省略されている。「私がこれまで生きてきたいかなる日々」

作家として成功しようとニューヨークで暮らす青年が、同じアパートの住人であるホリー・ゴーライトリーと知り合い、別れるまでを回想した小説。ホリーは謎に包まれた女性で、出自も職業もはっきりとしない。彼女が実は犯罪組織に関係していて、逮捕されそうになって逃亡

from Truman Capote, *Breakfast at Tiffany's* (1958; London: Penguin Books, 1961), pp. 77-78.

するところで回想は終わる。掲載部分は回想の半ば、彼女がブラジル人の資産家と出会って婚約し、ニューヨークを離れることを決心した直後に語り手である「私（I）」とニューヨークを歩く場面。チャイナタウンで二人が目にするもの、手にするものによって、読者は極彩色にいろどられた通りを想像し、ホリーのこれからやってくるはずの新しい生活に、彼女が希望をもち、沸きたつような心持ちになっていることを読みとる。最後の２行に表れる「私」の寂しさと見事な対比をなしている。

"Skyscraper"

13

by Carl Sandburg

By day the skyscraper looms in the smoke and sun and
has a soul.
Prairie and valley, streets of the city, pour people into
it and they mingle among its twenty floors and are
poured out again back to the streets, prairies and
valleys.
It is the men and women, boys and girls so poured in and
out all day that give the building a soul of dreams
and thoughts and memories.
(Dumped* in the sea or fixed in a desert, who would care
for the building or speak its name or ask a policeman
the way to it?)

By night the skyscraper looms in the smoke and the stars
and has a soul.

dump: 降ろす

『シカゴ詩集』は1910年代後半に起こった「シカゴ・ルネッサンス」の代表的詩集。シカゴ・ルネッサンスはシカゴがアメリカの産業・文化の新たな中心となりうることを文学的に示したものであった。サンドバーグは、シカゴの活況を自由詩という形式で謳った。「摩天楼」は同詩集の最後に収められた、全８連の詩。ここでは第１連と最終連の最後の１行を掲載している。ビルを摩天楼に集う人たちによって魂を与えられた有機的存在としてとらえ、大都会の１日をそこで働く人々の姿を通して描き出している。第１連では、アメリカ各地から都会を目指してやってきた人たちがビルに命をふきこむ様が描かれている。第２連以降では、ビルの内部構造を明らかにし、そこで働く人たちの労働の様子や、彼らの感情までを包みこむものとして描く。

from Carl Sandburg, *Chicago Poems*, (1916; Urbana: University of Illinois Press, 1992).

chapter 10

ヒッピー

放埓な求道者たち

1966 年から 1968 年までサンフランシスコのハイト・アシュベリー地区で出版されていたサイケデリック新聞『サンフランシスコ・オラクル』のカバーページ。ヒューマン・ビーインへの参加を呼びかけている。Volume 1 No.5. 1967 年 1 月出版。
https://commons.wikimedia.org/wiki/File:San_Francisco_Oracle_Cover_Vol.1_No.5,_January_1967.jpg

ヒッピー（hippie,hippy）とは、第二次世界大戦終結後の 1946 年から数年の間に出生率が大幅に上昇したベビーブーマーとして生まれた人たちの多くが、成人する年齢に達した 1960 年代中頃から 70 年代にかけて、既成の価値観に抵抗し、愛と平和（Love & Peace）を重視した運動を指す。ヴェトナム反戦運動の高まりとともに、ヒッピーの存在は知られることになっていくが、その起源を特定することは難しい。ノーマン・メイラーが高くその存在を評価した 50 年代に現れたヒップスターが起源の一つということは可能であろう。また、同時期にはアレン・ギンズバーグやジャック・ケルアック、ゲイリー・スナイダーなどの詩人・作家たちが登場し、同性愛を謳い、定職につかずに酒や麻薬に溺れて放浪する若者を描き、近代的産業社会を批判する「ビート・ジェネレーション」が、ヒッピーの先鞭をつけた。

ヒッピーは、主にアメリカ西海岸に集まり、自由・希望・幸福・変化・革命を求めようとする気概を持ち、それを体現しようと長髪にし、ひげを伸ばし、ジーンズを履き、現実世界では与えられることのないものを体験しようとマリファナや LSD などの麻薬を常習した。LSD の使用によって生じる幻覚や恍惚状態をサイケデリックと呼ぶようになり、その感覚を視覚的・聴覚的に表現しようと原色を多用した美術作品やロックなどが流行した。彼らの運動の特徴は、性的に極めて自由であったこと、現代文明を否定し、しばしば自然の中での生活を選択したことである。ソローの『ウォールデン』をバイブルとした。

1854　ヘンリー・デイヴィット・ソロー、ウォールデン湖畔での２年におよぶ自給自足の実験的生活の記録『ウォールデン―森の生活』出版。

1952　ジョン・クレロン・ホームズ『行け』出版。ニューヨークを拠点とするアレン・キンズバーグやジャック・ケルアックなどの詩人・作家たちをモデルにした小説。なお彼は、同年『ニューヨーク・タイムズ・マガジン』に発表したエッセイの中で「ビート・ジェネレーション」という言葉を世に送り出す。

1956　この頃から「ビート・ジェネレーション」による文学・文化運動盛んになる。アレン・ギンズバーグ『吠える　その他の詩集』出版。

1957　ケルアック『路上』出版。実体験に基づき、アメリカ大陸を自動車で放浪する若者を描いてビート文学の旗手となる。

1963　この頃から「ヒッピー」と呼ばれる若者が注目される。愛と平和を求める政治・社会運動から、マリワナやLSD等のドラッグ文化、「サイケデリック」な音楽や視覚芸術、エコロジー運動、ファッションに至るまで多様な広がりを持つ「対抗文化」が全国的に展開。特に西海岸地方で盛ん。

1964　カリフォルニア大学バークリー校で、構内での政治活動を禁止する学則の撤廃を求め、学生たちがフリー・スピーチ・ムーヴメントを開始し、学内に集合。大学側は州警察を導入し、学生800人が逮捕される。同様の学生運動、全国に広がる。

1967　サンフランシスコで人間性の回復、平和主義、権威への抵抗を示す集会「ヒューマン・ビー・イン」開催。推定２万人から３万人が参加。サンフランシスコ周辺にヒッピー文化が盛り上がりを見せる。夏には、推定10万人がヒッピー文化の中心となったハイト＝アシュベリー地区に集まる。「サマー・オブ・ラヴ」現象と呼ばれる。

On the Road

by Jack Kerouac

1) But Dean's intelligence was every bit* as formal and shining and complete, without the tedious intellectualness. And his "criminality" was not something that sulked and sneered; it was a wild yea-saying* overburst of American joy; it was Western, the west wind, an ode from the Plains, something new, long prophesied, long a-coming* (he only stole cars for joy rides). Besides, all my New York friends were in the negative, nightmare position of putting down society and giving their tired bookish or political or psychoanalytical reasons, but Dean just raced in society, eager for bread and love:...

2) It was a wonderful night. Central City* is two miles high; at first you get drunk on the altitude,* then you get tired, and there's a fever in your soul. We approached the lights around the opera house down the narrow dark street; then we took a sharp right and hit some old saloons with swinging doors. Most of the tourists were in the opera.* We started off with a few extra-size beers. There was a player piano.* Beyond the back door was a view of mountains in the moonlight. I let out a yahoo.* The night was on.

We hurried back to our miner's shack*. Everything was in preparation for the big party. The girls, Babe and Betty cooked up a snack of beans and franks*, and then we danced and started on the beer for fair.* The opera over, great crowds of young girls came piling into* our place. Rawlins and Tim and I licked our lips. We grabbed them and danced. There was no music, just dancing. The place filled up. People began to bring bottles. We rushed out to hit the bars and rushed back. The night was getting more and more frantic. I wished Dean and Carlo* were there—then I realized they'd be out of place and unhappy. They were like the man with the dungeon stone and the gloom, rising from the underground, the sordid hipsters* of America, a new beat generation that I was slowly joining.

The boys from the chorus showed up. They began singing "Sweet Adeline.*" They also sang phrases such as "Pass me the beer" and "What are you doing with your face hanging out?" and great long baritone howls of "Fi-de-lio!*" "Ah me, what gloom!*" I sang. The girls were terrific. They went out in the backyard and necked* with us. There were beds in the other rooms, the uncleaned dusty ones, and I had a girl sitting on one and was talking with her when suddenly there was a great inrush*of young ushers from the opera, who just grabbed girls and kissed them without proper come-ons.* Teenagers, drunk, disheveled, excited—they ruined our party. Inside of five minutes every single girl was gone and a great big fraternity-type* party got under way* with banging of beerbottles and roars.

from Jack Kerouac, *On the Road* (1957; New York: Penguin Books, 1991), 1) p.10, 2) pp.53-54.

every bit: どの点から見ても　**yea-saying:** 同意する、肯定する　**a-coming:** a は on の意。やってくる途中　**Central City:** コロラド州中北部の町。1859年に金鉱が発見された　**get drunk on the altitude:** 高山病にかかる　**the opera:** 前出のオペラ・ハウスのこと　**player piano:** 自動ピアノ。穴をあけた紙を読み込んで演奏する　**yahoo:** ヤッホー、わーい、などの興奮した際にあげる声　**miner's shack:** 鉱夫たちが休憩するための粗末な小屋　**frank:** フランクフルト　**for fair:** 盛大に　**piling into:** 押しかける　**Carlo:** この旅行以前に旅をした語り手の友人　**hipster:** もとは「ジャズ好き」を意味していたが、そこから新奇なものを求める最先端をいく人、を意味する語となる。その後 **50** 年代以降になると、伝統的な価値観や生活態度を否定する人々を指すようになる　**Sweet Adeline:** 1903年にシート・ミュージック（一枚ずりのポピュラー音楽の楽譜）として発売された。その後、無伴奏男声合唱のスタンダード曲となった　**Fidelio:** ベートーベンのオペラ　**Ah me, what gloom:**『フィディリオ』の一節　**neck:** 首に抱きつく。いちゃつく　**inrush:** 乱入　**come-on:** 誘惑すること　**fraternity:** 男子学生の友愛会　**get under way:** 進行する

ケルアック自身が友人ニール・キャサディとともに1946年以降、何度かアメリカやメキシコを放浪した姿をフィクション化した、ビート・ジェネレーションを代表する小説。1951年に原稿は完成していたと言われているが57年まで出版されることはなかった。作家自身をモデルにした語り手サルとディーン（キャサディがモデル）が自動車――長距離バス、自家用車、ヒッチハイク――に乗って、アメリカを縦横無尽にひたすら移動する。その間、多くの女性と関係し、アルコール・麻薬の摂取など放埒な姿が描かれる。同書が多くの若者の心をつかみ、音楽・映像の分野に与えた影響は大きく、上映当時から、たいへんな評判となった映画『イージー・ライダー』(1969) などもこの系譜にあるようだ。

1）は、サルがヒッピーの先駆者的存在とも言えるディーンについて、その人物像を語っている部分。東部のエリート的な価値観を否定し、西部の自由な気風を肯定している。

2）は、サルが西部へ行ったディーンを追いかけて、ニュージャージを出発し、バスを乗り継ぎ、ヒッチハイクをしてデンヴァーにたどりついた部分。サルは、山岳地帯への小旅行に参加し、地元の女の子たちを誘って、音楽とダンス・酒に興じる。刹那的な楽しみを追い求める若者の姿が描かれている。

chapter 11

フォーク・ソング

民衆・放浪・反体制

ボブ・ディラン　1978 年　ロッテルダムでの公演
Wikimedia commons

ウッディ・ガスリー(1943 年)
ギターには「このマシーンはファシストを殺す」と貼ってある。
World Telegram photo by Al Aumuller
https://www.loc.gov/item/2002709330/

アメリカのフォーク・ミュージックとは何か？　もともとは、ヨーロッパから移住してきた民衆がアメリカに持ち込んだ民謡音楽をさすが、20 世紀に入ると労働歌――カウボーイの歌・木こりの歌・水夫の歌・黒人の労働歌――、黒人霊歌、アパラチア地方のバラッド、先住民たちの独自の音楽までを「フォーク」と呼ぶようになった。ヨーロッパから持ち込まれた歌は、アメリカの風土にあうように変わっていった。黒人音楽として知られるブルースなどもかつては労働歌として唄われていたもので、労働作業に歌と共にリズムを与え、作業を少しでも楽にするためのものであった。

1930 年代には、ウッディ・ガスリーが全米を放浪しながら、ギター演奏に合わせて貧困・政治・愛・放浪などをテーマにした新しいフォークを唄った。ガスリーは、政治的なメッセージを歌に与え、その後のフォーク・ソングの方向性を決定的にした。40 年代―50 年代にフォーク・ミュージックは盛んになるが、次第に反体制的な色彩を濃くし、60 年代になって反戦運動の高まりとともにフォーク・ソングが、彼らの気持ちを代弁するものとなっていった。

Folk Song

1871　ナッシュビルの黒人大学フィスク大学の学生合唱団フィスク・ジュビリー・シンガーズ、大学の運営資金を集めるためコンサート巡業に出る。「黒人霊歌」をレパートリーにして人気を博し、黒人音楽への関心を高める。

1909　W・C・ハンディ、メンフィス市長選に際して作曲したものが1912年に「メンフィス・ブルース」として流行、黒人音楽のブルースが普及し始める。

1910　ジョン・ローマックス『カウボーイ・ソングその他のフロンティア歌謡』出版――以後、息子アランと共にアメリカ民謡の収集につとめる。

1917　ニュー・オーリンズの公認売春地区ストーリーヴィルの閉鎖に伴い、ジャズ・ミュージシャンの多くが北部に移住、ジャズ・バンドが全米に広がる。

1930　ウッディ・ガスリーが、貧しい民衆の声をくみ取り、ギターとハーモニカで唄いあげる。彼の「わが祖国」は60年代の公民権運動家たちにも愛され、のちのボブ・ディランなどにも影響を与える。

1941　ピート・シーガー、ガスリー、リー・ヘイズ、ミラード・ランブルらと共にオールマナック・シンガーズ結成。彼らは全員が参加して楽曲を創作し、そこから得た収入で共同体的生活を送った。

1946　シーガー、音楽組織「民衆の歌」を設立、機関誌『民衆の歌』を発行（～49年）。

1950　シーガー、ヘイズらウィーヴァーズを結成。「グッドナイト・アイリーン」発表。フォーク・ソング初の全国的ヒットとなる。この後、各地でフォーク・グループが結成され、コーヒー・ハウスを拠点に活動。フォーク・リヴァイヴァル。
『シング・アウト!』、フォーク・ソングの保存と支援を目的に創刊（～2014年）。

1963　ボブ・ディラン「風に吹かれて」発表。60年代を象徴する歌曲となる。

1965　ニューポート・フォーク・フェスティバル開催。ディラン、エレクトリック・ギターを演奏、賛否両論を引き起こす。

1969.8.16～19　ニューヨーク州ウッドストック近郊でのロック・フェスティバル、およそ40万人の若者を集める――「対抗文化」の総決算。

Nobel Prize Lecture (5 June 2017)

by Bob Dylan

I think it was a day or two after that that his plane went down.* And somebody—somebody I'd never seen before—handed me a Leadbelly* record with the song "Cottonfields" on it. And that record changed my life right then and there. Transported me into a world I'd never known. It was like an explosion went off.*Like I'd been walking in darkness and all of the sudden the darkness was illuminated. It was like somebody laid hands on me. I must have played that record a hundred times….

I hadn't left home yet, but I couldn't wait to. I wanted to learn this music* and meet the people who played it. Eventually, I did leave, and I did learn to play those songs. They were different than the radio songs that I'd been listening to all along. They were more vibrant and truthful to life. With radio songs, a performer might get a hit with a roll of the dice or a fall of the cards,* but that didn't matter in the folk world. Everything was a hit. All you had to do was be well versed* and be able to play the melody. Some of these songs were easy, some not. I had a natural feeling for the ancient ballads and country blues, but everything else I had to learn from scratch.* I was playing for small crowds, sometimes no more than four of five people in a room or on street corner. You had to have a wide repertoire, and you had to know what to play and when. Some songs were intimate, some you had to shout to be heard.

By listening to all the early folk artists and singing the songs yourself, you pick up the vernacular. You internalize* it. You sing it in the ragtime blues, work songs, Georgia sea shanties,* Appalachian ballads and cowboy songs. You hear all the finer points, and you learn the details.

a day or two after that that his plane went down：ディランが10代の頃に最も影響を受けた歌手、バディ・ホリーが1959年2月に飛行機事故で死んだこと。前段で、ディランはこの事故の数日前に、100マイル移動してホリーのコンサートを聞きにいったと述べている　**Leadberry:** アメリカのブルース歌手・ギタリスト　**go off:** 爆発する　**this music:** Sonny Terry and Brownie McGhee, the New Lost City Ramblers, Jean Ritchie, らの音楽のこと。前段でこれらのミュージシャンの音楽をきいて、それまで聞いたことがない音楽であったと述べている　**get a hit with a roll of the dice or a fall of the cards:** "with a roll of the dice" はサイコロを一振りする、賭け事をするように当たり外れが大きいこと。"fall of the cards" はカードゲームにおいて、配られた札でのチャンスの分配、つまり、ほとんどチャンスがないということ　**verse:** 詩を作る　**from scratch:** 初めから、ゼロから　**internalize:** 吸収する　**sea shanties:** shanty は chantey に同じ。水夫たちが錨をあげるときなどに唄うはやし唄

https://www.nobelprize.org/prizes/literature/2016/dylan/lecture/

ボブ・ディランは、1941年ミネソタ州に生まれた。両親ともにユダヤ系。本名はロバート・ジマーマン、詩人のディラン・トマスにちなんでボブ・ディランと名乗る。大学を中退してニューヨークに出て、音楽活動を始める。1962年に自身初のアルバム『ボブ・ディラン』を発売、以後現在に至るまで第一線で音楽活動を続けている。ここに掲載したのは、ノーベル文学賞受賞講演の一部。彼は、ノーベル賞授賞式に出席せず、その後も賞を受諾するか否かについて何ら言及しなかったため、辞退するのではないかと憶測が流れ続けた。受諾期限とされる翌17年6月になってこの講演（録音音声と原稿）を発表した。講演の冒頭、自身の音楽と文学がどのように関係しているのかを問う。講演は若き日の音楽体験とグラマースクール時代に読んだ本が自身にどのような影響を与えてきたのかを回想するものとなっている。特に彼に大きな影響を与えた3作品、ハーマン・メルヴィルの『白鯨』、エーリッヒ・マリア・レマルクの『西部戦線異状なし』、ホメロスの『オデュッセイア』について詳しく自分との関わりについて言及している。最後に、歌詞はうたわれるものであって読むものではない、曲を作った人が意図したように音楽として聞いて欲しいと希望を述べて締めくくっている。ここでは、彼がフォークソングを志すきっかけについて回想している部分を掲載している。

Blowin' In The Wind

16

Written by Bob Dylan

How many roads must a man walk down
Before you call him a man?
Yes, 'n' how many seas must a white dove sail
Before she sleeps in the sand?
Yes, 'n' how many times must the cannonballs fly
Before they're forever banned?
The answer, my friend, is blowin' in the wind
The answer is blowin' in the wind

代表作「風に吹かれて」の一部。1963年発売の『フリーホィーリン・ボブ・ディラン』の一曲目として収録され、のちにシングル・カットされた。1964年に発売されたアルバム『時代は変わる』収録の「時代は変わる」と共に公民権運動を象徴する曲として広まった。

chapter 12

健康ブーム

ジョギング・エアロビクス・ダイエット

ジョギングするジミー・カーター大統領（1978年）

政治意識が高まり文化や価値観の大きな変化がもたらされた1960年代の後、人々の関心がむしろ個々人のライフスタイル、特に身体に向けられるようになったと言われる1970年代を象徴するのが、健康ブームである。贅肉がなく、スリムでほどよく筋肉のついた健康なボディを維持すること＝「フィットネス」が自己管理の証しとされ、肥満や喫煙は自制心を保てない証拠であり出世に差支えるとまで言われるようになった。ジョギング、エアロビクス・ダンスが普及し、「ジム」（トレーニング・マシーン、エアロビクス・ダンスなどのレッスンが受けられるスタジオやプールなどを備えたスポーツクラブ）に定期的に通うことが流行し、広く定着した。この健康ブームの先頭を切ったジョギングの他にも、テニス、スカッシュ、ヨガなど、スリムな健康体を保つためのスポーツの人気が高まった。運動への関心と同時に食事制限（ダイエット）への関心も高まり、ファーストフード店で供されるような糖分や脂肪分が多く高カロリーの飲食物の害が注目されるようになった。

その一方で、過度な体重コントロールが摂食障害（いわゆる拒食症や過食症）の引き金として問題視されるようにもなり、人気歌手カレン・カーペンターが拒食症が原因で死亡したというニュースが全米にショックを与えた。女性に外見の美しさ、特に痩せていることを過剰に求める風潮に対する批判の声も上がり始めた。

Health and Fitness

1970 煙草の TV コマーシャル放映を禁止する法律、ニクソン大統領の署名で成立。

1977 ジム・フィックス『奇蹟のランニング　その効用と方法の完全報告』全米にジョギング・ブームをもたらす。

1978 ハワイで初のトライアスロン大会開催。

1979 喫煙は「早死にをもたらす最大の環境的要因」と米国公衆衛生局長官が言明。禁煙運動、ますます広がる。

1982 女優ジェーン・フォンダのビデオ『ジェーン・フォンダのワークアウト』、ホームビデオとして破格の売上げを記録し、エアロビクス・ダンスの流行を招く。

1983 人気兄妹デュオ「カーペンターズ」のボーカル、カレン・カーペンターが自宅で急死。若い女性に多発する摂食障害の問題が広く注目される。

2001 エリック・シュローサー『ファーストフードが世界を食い尽くす』でファーストフード産業の問題点を指摘、「現代のマックレイカー（腐敗あばき屋）」と評される。

2003 ファースト・フード・チェーンのマクドナルドのせいで肥満になったとする未成年者２人による損害賠償請求、ニューヨーク地裁で棄却。この事件を契機に、翌 2004 年、外食産業を肥満等の健康被害で訴えることを禁じる食品消費個人責任法（『チーズバーガー法』）下院で可決（後に上院で否決）。

2012 米疾病対策センター学会、BMI（体格指数）30 以上の「肥満」が成人の約 36%、2030 年には 40%になる見通しと発表。

The Complete Book of Running

17

by James F. Fixx

1) Most Americans are in terrible shape.* We smoke and drink too much, weigh too much, exercise too little and eat too many of the wrong things. A California pathologist, Thomas J. Bassler, says on the basis of autopsies he has performed that two out of every three deaths* are premature; they are related to what he calls loafer's heart, smoker's lung and drinker's liver. Thomas K. Curreton, a professor at the University of Illinois Physical Fitness Laboratory, has said, "The average American young man has a middle-aged body. He can't run the length of a city block, he can't climb a flight of stairs without getting breathless. In his twenties, he has the capacity that a man is expected to have in his forties."

2) An easy way to effect a favorable change* in your way of living is by running. Running is one of the best exercises there is,* and certainly the simplest. When, for example, workers in a Soviet factory took up running, they reduced the number of days lost annually through sickness from 436 to 42. Furthermore, studies have shown that practically everyone benefits from the sport. At the University of Michigan's Physical Performance Research Laboratory, Drs. Merle L. Foss, Richard M. Lampman, and David Schteingart have demonstrated that even extremely overweight people can significantly improve their physical condition in as little as three weeks.

3) Nancy runs six miles four or five times a week.* She told me: "Running gives me a sense of controlling my own life. I feel I'm doing something for myself, not depending on anyone else to do it for me. I like the finiteness* of my runs, the fact that they have a clear beginning and end: I set a goal and I achieve it. I like the fact, too, that there's real difficulty in running: when you have to push yourself to finish a run, you feel wonderful afterward. A good run makes you feel sort of holy."

in terrible shape: 肉体的にひどい状態で 「よい状態で」は "in good shape" **two out of every three deaths:** 3件の死ごとに2件、つまり全体の三分の二ということ **effect a favorable change:** よい変化をもたらす。この "favorable" は「好意的な」ではなく「よい、有利な」の意 **one of the best exercises there is:** 存在する中で最も優れた運動のひとつ **four or five times a week:** 一週間につき4、5回 この冠詞aは「～につき」という意味 **finiteness:** すぐ後に説明がある通り「始めと終わりがきちんとあること」

from James F. Fixx, *The Complete Book of Running* (New York: Random House, 1977), pp.4, 6, 14, 15.

運動選手のトレーニングではなく、一般人が健康維持や減量、あるいは純粋に楽しみのために行なうランニングは1960年代から次第に広まったが、その中でも競争ではなくゆっくりしたペースで走るランニングは「ジョギング」と呼ばれ、70年代後半から爆発的なブームになった。70年代の終わりに米国のジョギング人口は1千万～4千万人と言われ、ジミー・カーター大統領がジョギングする姿がマスコミに登場し、女性ジョガーも激増した。ジェイムズ（ジム）・フィックスの『奇跡のランニング』はハードカバーで1年に75万冊以上が売れ、このようなジョギング・ブームの火付け役とみなされた。

1）はタバコ、飲酒、運動不足が米国人の健康をむしばんでいると警告する部分。2）はジョギングの効用、そして3）では、女性ジョガーの体験談を引用して、ジョギングが肉体的によいというだけでなく、自分の肉体や行動を自分の意志の力でコントロールすることに伴う精神的な快感について述べている。

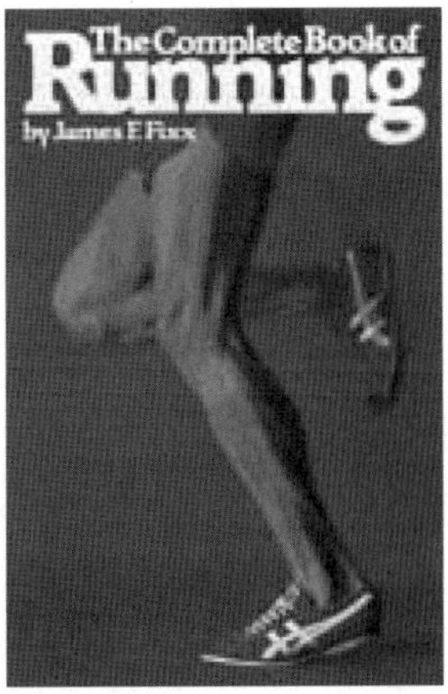

ジョギング・ブームの火付け役となった
『奇跡のランニング』表紙

『奇跡のランニング』以来、著作や講演で、日本も含め世界中で「ジョギングの教祖」ともてはやされたジム・フィックスは、1984年に自宅近くのヴァーモント州の国道をジョギング中、52歳の若さで心筋梗塞で急死した。ランニングが体に負担をかけ過ぎて危険になる例として、以後必ず引き合いに出される皮肉な事件であった。それでも健康な心身をめざすためのジョギングは広く定着し、2017年のデータによれば、ジョギングをするアメリカ人は推定約4700万人、その内半分以上が週1回以上走るという。

chapter 13

ユートピアを求めて

性革命の 70 年代

映画『ディープ・スロート』のオリジナル・ポスター。性的に奔放であることと精神的解放を関連させる当時の風潮がうかがえる。

『コズモポリタン』1972 年 4 月号　女性誌で初めて男性のヌードを特集し話題を呼んだ。モデルは俳優のバート・レイノルズ。この特集がきっかけで「セクシーな男優」としての人気を獲得した。

米国で 1960 年代に始まったとされる「性革命」は、1970 年代にさらに本格化する。それは雑誌、書籍、ポルノ映画などにおける露出度の高いあからさまな表現の解禁というだけではなく、性に関してどれほどオープンで寛容になりうるかをめぐる文化的実験、あるいはさらに、性の解放を通して人間の「生」のユートピアを求める文化的実験の様相すら呈した。

以来、性に関する解放的な表現の自由か、「猥褻」を断罪する禁欲的な抑圧か、という二分法を越えて、男性だけでなく女性の性生活に対する寛容さ、性的少数者の自己表現、性表現・性産業にみられる偏見や紋切り型への批判など、性をめぐる米国文化のありようは大きく変化した。それらの変化は、性に関する話題をオープンに議論できる土台の上に登場し発展していったのである。女同士でセックス・ライフをあけすけに打ち明け合うコメディ『セックス・アンド・ザ・シティ』（TV 放映 1998～2004 年）の人気は、そのような大きな変化が広く浸透した例として興味深い。

Sexual Revolution

1948 アルフレッド・キンゼー『男性の性行動』出版、ベストセラー。性意識の革命始まる。

1960 女性用経口避妊薬（ピル）、食品医薬品局の許可を経て販売開始。

1970 ジョンソン大統領により1968年に設置された「猥褻とポルノグラフィに関する委員会」、報告書を発表。ポルノグラフィが人間を堕落させる証拠はなく、猥褻取締法は廃止すべきと勧告。連邦議会及びニクソン大統領はこの勧告を拒絶。

1972 ポルノ映画『ディープ・スロート』公開、主演女優リンダ・ラブレスは一躍性革命のシンボルとなったが、1980年に「ポルノ出演は強制されたものだった」と発言、反ポルノ運動に転じた。

1973 連邦最高裁、「猥褻」物は表現の自由を保障する憲法修正1条では守られないとし、また「猥褻」を定義するのは「コミュニティの基準」であるとして、州や市による性表現取り締り促進の方向を示した。
エリカ・ジョング『飛ぶのが怖い』、女性の視点から書かれた自伝的ポルノ小説として話題を呼び、600万部を超えるベストセラーに。

1974 全裸で走る「ストリーキング」が大学キャンパスを中心に各地で流行。
ラリー・フリント、『プレイボーイ』より露骨でハードコアな月刊誌『ハスラー』創刊。近親相姦やレイプ、著名人の隠し撮りヌードといった過激な内容で人気。

1975 『エマニュエル夫人』（1974）『O嬢の物語』（1975）といった成人向けヨーロッパ映画が米国でもヒット。

1976 シェアー・ハイト『ハイト・リポート：新しい女性の愛と性の証言』出版。

1986 エドウィン・ミース司法長官諮問の「ポルノグラフィ調査委員会」が、1970年の大統領諮問委員会の結論を逆転させ、ポルノグラフィは性犯罪を誘発し「有害」であると発表（「ミース報告書」）。

1989 共和党上院議員ジェシー・ヘルムズ、猥褻や宗教的冒涜を理由に連邦芸術基金の助成を打ち切る法案提出。芸術の自由を巡り激しい論争が起こるが、翌90年、連邦芸術基金の助成基準に「品位」を求める修正案成立。

1998 勃起不全治療薬バイアグラ、食品医薬品局の認可を経て販売開始。

2008 4人のキャリアウーマンの恋愛模様とファッションで人気のTVドラマを映画化した『セックス・アンド・ザ・シティ』ロマンチック・ラブコメディ映画の中で年間最多の観客数。

Sex and the Single Girl

18

by Helen Gurley Brown

What is a sexy woman?

Very simple. She is a woman who enjoys sex.

Being sexy means that you accept yourself as a woman....with all the functions of a woman. You like to make love, have babies, nurse them and mother them (or think you would). Being sexy means that you accept all the parts of your body as worthy and lovable...your reproductive organs, your breasts, your alimentary tract. You even welcome menstruation as the abiding proof of your fertility.

（中略）

How many "naturally" sexy women are there? Are you one?

Kinsey* says one-third of American women achieve orgasm most of the time. They're sexy (in the context we're talking about). One-third rarely achieve it. They aren't (again in this context). And one-third achieve orgasm about half the time. Are they sexy? Perhaps.

A single woman in many instances doesn't have a regular sex life (again according to Kinsey, she may be perfectly capable of enjoying one, but long lapses occur between involvements*). Therefore she can't measure her sexuality as a married woman can.

If you feel you aren't "naturally" sexy—sexy on the inside—it's possibly because you haven't had a real opportunity to find out. You may still be a virgin. Or you may have been paired with the wrong man. Kinsey (and I really did read another book once) says nearly everybody in our culture is paired incorrectly. Ideally, seventeen-year-old boys and thirty-five-year-old women would be teamed, and thirty-five year-old men and seventeen-year-old girls. Thus people at the peak of their sexual powers would be together and so would those in the beginning stage and decline of theirs.

If you can't match the quantitative* enjoyment of a man,* that doesn't mean you're a second-class participator. Men usually arrive at maturity less deadened* sexually than girls and so may achieve more climaxes. They weren't as often admonished to keep their dresses down and their knees together!*

Kinsey: 米国の性科学者アルフレッド・キンゼー。ここで言及されているのは、『キンゼー報告』として知られる彼の著作（『人間男性の性行動』（1948）および『人間女性の性行動』（1953）のこと。 **involvements:** ここでは単なる「関与」ではなく「性的関係」の意味。 **If you can't match the quantitative enjoyment of a man:** 男性に比べて性的快楽の量が少ない、つまり性的に楽しむ機会が少ないとしても **quantitative:** 量的な **deaden:** 鈍らせ

from Helen Gurley Brown, *Sex and the Single Girl,* 1962. (Barricade Books, 2003), pp.65, 68.

る、無感覚にする **keep their dresses down and their knees together:**「ドレスの裾を下げて、膝をくっつけておくこと」 男性の性的アプローチを安易に受け入れないようにしなさい、と婉曲に忠告する時の決まり文句。

『セックスと独身女性』は1962年のベストセラー。女性にも性的欲求があること、独身でも罪悪感なく恋愛もセックス・ライフもエンジョイしてかまわないこと、結婚だけが人生の目的ではなく、好きな仕事で自己実現すること、経済的に独立し、余暇を謳歌し、おしゃれを楽しむことは「独身女性の特権」であることを主張してセンセーションを巻き起こした。若い女性に人生の先輩が気さくに語りかけるような文体も人気の理由の一つだった。

ベストセラー作家の地位を獲得したブラウンは高級志向だった雑誌『コズモポリタン』の編集長に就任、本書で主張したような、恋愛もファッションも仕事も楽しむ独身女性のライフスタイルを提案する雑誌に変身させて、若い女性読者層を開拓した。彼女が推進した、性生活も含め「すべてを手に入れたい」若い独身女性のロールモデル「コズモ・ガール」は、多くの女性に受け入れられ、性革命の一端を担ったとされる。

この箇所でブラウンは、「セクシー」であることとは男性からどう見られるかとは関係ないと述べ、自分自身の肉体についてよく知って積極的に性的な快感を求めようと若い女性に勧めている。

chapter 14

宇宙探索

「なぜ月へ行く？」

スミソニアン航空博物館に展示されているヴァイキング１号の実物大模型

アポロ 11 号で月面に降り立ったエドウィン・オルドリン宇宙飛行士

1969 年、米国はアポロ 11 号により月への有人宇宙飛行を成功させた。全人類の５人に１人がその様子を TV で見守ったと言われ、人類で初めて月に降り立ったアームストロング船長の「人類にとっては偉大な飛躍」という発言も大きく報道された。1957 年、ソ連が「スプートニク号」により世界発の有人宇宙飛行を成功させたことは全米に大きな衝撃を与え「スプートニク・ショック」とまで言われたが、その時点でソ連に後れをとっていた宇宙進出の分野で、米国がソ連を追い抜いただけでなく、圧倒的な優位にたったことを、アポロ 11 号の月着陸は世界に向けて示した。またそれは人類の月到達のさらにその先をめざすスタート地点ともなった。70 年代以降、米国の宇宙政策は、繰り返し使用可能なスペースシャトルによるさらなる宇宙開発、最も近い惑星である火星を中心とした太陽系の調査、および人間の火星到達の可能性の模索が主な事項となる。その中で、宇宙をめざす米国のリードは変わらないものの、ソ連（ロシア）も含めた国際的な協力も模索された。また近年では民間の技術力、資金力の投入も含め、官民協力の新たな時代を迎えている。国家と民間、国境の枠を越えた惑星間飛行プロジェクトが、いずれ現実のものとなる時代が来るのかもしれない。

The Moon and Beyond

1957 ソ連、人類初の人工衛星スプートニク号の打ち上げ成功を発表。全米にいわゆるスプートニク・ショック。科学教育に対する反省と、国防予算への増大へとつながる。

1969 宇宙船アポロ 11 号月面到着、人類はじめて月に立つ。ニール・アームストロング船長「これは一人の人間にとっては小さな一歩だが、人類にとっては偉大な飛躍である」“That's one small step for (a) man, one giant leap for mankind.” 11 月 19 日にはアポロ 12 号による人類 2 度目の月着陸成功。

1971 ソビエト連邦、世界初の宇宙ステーション、サリュート 1 号打ち上げ。

1973 米国初の有人宇宙ステーション、スカイラブ 1 号打ち上げ（~79 年 7 月 11 日大気圏突入)。

1975 アメリカ航空宇宙局（NASA）によりヴァイキング 1 号、2 号打ち上げ（各 76 年 7 月 20 日、76 年 9 月 3 日火星に着陸)。ソ連のソユーズ 19 号とアメリカのアポロ 18 号が史上初の宇宙船国際ドッキングに成功（アポロ・ソユーズ・テスト計画)。

1981 初のスペースシャトル、コロンビア号打ち上げ。

1983 米国人初の女性宇宙飛行士サリー・ライドを乗せたスペースシャトル、チャレンジャー号打ち上げ。

1986 スペースシャトルのチャレンジャー号、発射間もなく爆発事故、乗組員全員死亡。

1997 火星探査機マーズ・パスファインダーが火星に軟着陸、自走探査車で火星の地表の成分の分析や写真撮影を行う。

2003 スペースシャトル・コロンビア号事故。帰還のため大気圏突入後にテキサス州上空で空中分解、墜落。宇宙飛行士 7 名全員死亡。

2004 NASA の火星探査機、火星にかつて水が存在していたことを突き止める。
宇宙船スペースシップ・ワン号、史上初の民間企業による有人宇宙飛行達成。

"The Moon Speech" (Rice University, 1962)

by John F. Kennedy

19

There is no strife, no prejudice, no national conflict in outer space as yet. Its hazards are hostile to us all. Its conquest deserves the best of all mankind, and its opportunity for peaceful cooperation may never come again. But why, some say, the moon? Why choose this as our goal? And they may well ask why climb the highest mountain. Why, 35 years ago, fly the Atlantic?* Why does Rice play Texas?*

We choose to go to the moon. We choose to go to the moon in this decade and do the other things, not because they are easy, but because they are hard, because that goal will serve to organize and measure the best of our energies and skills, because that challenge is one that we are willing to accept, one we are unwilling to postpone, and one which we intend to win, and the others, too.

（中略）

To be sure, we are behind, and will be behind for some time in manned flight.* But we do not intend to stay behind, and in this decade, we shall make up and move ahead.

The growth of our science and education will be enriched by new knowledge of our universe and environment, by new techniques of learning and mapping and observation, by new tools and computers for industry, medicine, the home as well as the school. Technical institutions, such as Rice, will reap the harvest of these gains.

And finally, the space effort itself, while still in its infancy, has already created a great number of new companies, and tens of thousands of new jobs. Space and related industries are generating new demands in investment and skilled personnel, and this city and this State,* and this region, will share greatly in this growth. What was once the furthest outpost on the old frontier* of the West will be the furthest outpost on the new frontier of science and space. Houston, your City of Houston, with its Manned Spacecraft Center, will become the heart of a large scientific and engineering community.

（中略）

I think we're going to do it, and I think that we must pay what needs to be paid. I don't think we ought to waste any money, but I think we ought to do the job. And this will be done in the decade of the sixties.

"Why, 35 years ago, fly the Atlantic?": 1927年に米国人青年チャールズ・リンドバーグが達成した大西洋無着陸飛行（ニューヨーク＝パリ間）に言及したもの。月到達を「最も高い山に登る」ことに例えた後、さらに米国人が「飛行」に関して世界初の偉業を成し遂げた例へとつなげている。 **"Why does Rice play Texas?"** 巧みに現地のフットボールの話題を取り入れ、観客を引き込む発言。テキサス大学は強豪校でライス大のチームは実績

from NASA HP https://er.jsc.nasa.gov/seh/ricetalk.htm

では遠く及ばなかったが、ホームグラウンドではテキサス大に勝つこともあった。「最初からあきらめず、全力をつくして勝利を狙う」という意。　**manned flight:** 有人飛行。このmannedは「配備する、乗り込ませる」という動詞のmanを形容詞的に使って「有人の」という意味。　**this State:** この州＝ライス大学のあるテキサス州を指す。　**frontier:** アメリカ合衆国では、入植された地域とされない地域の境界を指す。ケネディ大統領は未知の宇宙に進出する最前線として、宇宙センターのあるヒューストンを「新しいフロンティア」と呼んでいる。

1961年、就任直後の演説で「10年以内に有人月到着をなしとげる」というスピーチを行ない、アポロ計画推進に対する議会の支持をとりつけていたケネディ大統領は、「ライス大学での月演説」として有名なこの演説で、国民に対して宇宙政策の重要性をさらにアピールした。ライス大学のあるテキサス州ヒューストンには1961年にNASAの「有人宇宙船センター」（後に「ジョンソン宇宙センター」と改名）が設立され、有人月ロケットの開発が本格的にスタートしたばかりだった。ケネディは自らの政策をアピールする「ニュー・フロンティア」という語を効果的に使い、常に世界に先駆けて困難を乗り越え、新たな地平にチャレンジしつづけるという米国人の肯定的な自己イメージを巧みに取り入れて、アポロ計画の重要性を訴えている。

マーゴット・リー・シェタリーのベストセラー『ドリーム』 公開された映画のスチール写真を使ったペーパーバック版の表紙。
原題「隠されたフィギュア」は今まで脚光を浴びてこなかった人物＝フィギュアと、主人公たちが追い求める数値データ＝フィギュアをかけたもの。

民間企業の参入もあり、進化し続ける米国の宇宙開発技術ではあるが、最近、一般人の注目を集めたのは2016年のベストセラー、さらに翌年映画化されて大ヒットした『ドリーム：NASAを支えた名もなき計算手たち』。黒人で女性という二重の差別を乗りこえて米国初の有人宇宙飛行計画を支え、その後のアポロ計画の成功を導いた3人の実話に全米が喝采を送った。宇宙船の軌道を計算し確認した数学者、プログラミング、エンジニアリングの先駆者という3人が才能と努力でハンディを乗り越えるというアメリカ人好みのサクセス・ストーリーであることに加えて、「人類の月到達」という目標に米国人が熱狂した時代のロマンが、形を変えつつ、今日いまだに多くの人々を酔わせるのだろう。

〔あとがき〕

マリリン・モンロー
アメリカの文化を語る

アメリカの郵便切手（32 セント)、「ハリウッドのレジェンドたち」シリーズ。シリーズ最初の切手として 1995 年に発行された。

私たちはアメリカ文化の特徴的なところを歴史的に追跡し、理解に努めてきました。ただ当然のことながら、外から眺めて理解に努めてきたので、内にあってそれを直接体験したらどうだろう、といった思いを抱くことはしばしばあります。そこで、アメリカの文化を最もよく「生きた」人の言葉を聞いてみたい。それも学者や評論家の理論化した言葉ではなく、日常的な、正直で率直な言葉を、です。そんな思いに魅力的に応えてくれる人に、マリリン・モンローがいます。

マリリン・モンローがアメリカで最も人気の高い女優であったことは誰でも知っています。しかし彼女は乳房とお尻を突き出しているだけの、ひと頃はやった言葉で言えば「白痴美」の肉体女優にすぎなかったと思っている人は、今でも多いのではないでしょうか。映画界はこぞって彼女のそういうイメージを売り物にし、彼女はハリウッド史上最大の「セックス・シンボル」となったのです。しかしその種の女優は、年をとればたちまち名声を失い、忘れ去られるのが普通ですが、モンローは 1962 年 8 月、36 歳で死んだ後も人気が高まるばかりで、名声はアメリカだけでなく世界中に広がり、人気とか名声などという言葉ではあらわしつくせぬ「讃仰」の対象になり、今では 20 世紀アメリカの最大の「文化ヒーロー」(女性だからヒロインと言うべきか)、あるいは「女神」とでも呼ぶのがふさわしい存在となっています。

いったいなぜそんなことになったのか。どこから彼女のそんな力は生まれてきたのか。ハリウッドもジャーナリズム（メディア）も、モンローの肉体美を最大限に利用しながら、肉体に関することは軽蔑して、知的に自分たちの優位を示そうと努めていました。それで彼女をめぐるエロチックな話を仕立てて、笑い物にしようとしていたのです。彼女に、夜は何を着て寝ますかと質問したら、「シャネルの 5 番よ」という答えが返ってきたという話は有名です。この答えから、メディアも世間も彼女が裸で寝る姿を想像して喜んだわけです。が、これは “What do you wear in bed?” という質問に対し、“Why, Chanel No.5, of course.” と答えたものです。質問の wear はもちろん着物を「着る」という意味の動詞ですが、香水を「付ける」という意味もあります。モンローはエロチックな含みの質問を見事にはぐらかしてしまったのです。そして最後の of course が利いています。あんた何というつまらぬことを聞いてんのよ、というわけです。ただ、こうして愚かな記者をからかいながらも、自分が裸で寝ることを隠そうとはしていない。堂々たる返事です。

同類の話はいろいろあります。"What have you on in your room?"（部屋の中では何を着ていますか）と質問した記者がいます。もちろん裸の状況を期待してのことです。返事は"The radio"でした。前置詞のonには着物を「着る」意味と、ラジオを「つける」意味があることを利用して、やはり質問をはぐらかしたわけです。モンローはこういう言葉遊びをとっさにできる知性の持ち主でした。

今なら、セクハラ！ と批判することもできそうなメディアの執拗な女性の肉体への言及に対し、モンローはこうしてやんわりとやり返し、自分を守っていました。しかし必要があれば、断乎たる自己主張もしたのです。彼女の乳房は本物か、何か人工的な操作をしているのではないかと質問した記者に、モンローはこう答えています―"Everything I have is my own"（私が持っているものはすべて私自身のものです）。さらに、別の機会にですが、こういうことも言っています。"I'm very definitely a woman and I enjoy it"（私はまったく絶対的に女であり、そのことを楽しんでいます）。どれも当たり前のことを当たり前の言葉で言っているのですが、その当たり前のことをとやかく言う世の中の常識に対し、挑戦している趣もうかがえます。

マリリン・モンローが主演した映画は1953年から1961年までの8年間の12本だけです。政治的にはアイゼンハワー大統領の治世で、社会的には「大人の時代」と呼ばれ、保守的な秩序が重んじられていました。それに反抗したJ. F. ケネディが大統領に当選し、「若者の時代」に移ったのは1961年です。モンローはその大人の秩序に反抗し、自分の女性らしさ、肉体の力を恐れ気もなく示しました。保守的な世間から軽蔑非難されるのも当然でした。ましてや映画という世俗道徳に訴える仕事に従事していましたから、表面上は白痴美の女の役に徹していました。が、本当は次の「若者の時代」の先端を行っていたのです。

これより前、まだ無名時代の1949年夏、モンローは50ドルの金が必要でトム・ケリー撮影のヌード写真のモデルになったことがあります。この時の作品のうち2枚がカレンダーに採用されて、そのモデルの正体がわかった1951―52年に大変な評判になりました。ハリウッド、とくにモンローを雇っていた二十世紀フォックス社は、せっかく売れ始めていたモンローがスキャンダル化されることを恐れ、彼女に事実を否定するよう指示しました。ところがモンローはインタビューの席で平然と事実を認め、「芸術のためです」などと恰好つけないで、「お金が必要だったからです」と正直に理由を述べました。が、これによってモンローは人気を失うどころか、世間の共感を誘い、大衆のヒーローに躍り上がったのでした。

ついでながら、この時の写真が雑誌『プレイボーイ』*Playboy*の創刊号（1953年12月）を飾りました。それまで、女性のヌードを掲載したいわゆる男性雑誌は、裏通りのいかがわしい店でこっそり売られていたのですが、『プレイボーイ』は性の解放を唱えて公然と本屋の店頭で売られました。本書の第13章は「性革命の70年代」を扱っています。モンローは一言も性の解放などを口にはしませんでしたが、「性革命」の強力な実践的先駆者であったと私は思います。

さらに、セックスについて、モンローは決定的とも言うべき名言を吐いています。（翻訳は苦心の割にはうまく出来ていませんので、英語の方を味わって下さい。）―"Sex is part of nature. I go along with nature."（セックスは自然の一部です。私は自然と仲よくやっていきます）。本書の第10章は1960年代から70年代にかけて高まった「ヒッピー」文化を扱っています。ヒッピーたちは反戦と平和、それに「人間性の回復」求める運動を展開しましたが、ヘンリー・ソローの自然生活記『ウォールデン』*Walden*（1854年）をバイブルとしていたと言われます。モンローはたぶんこの本を知らなかったでしょう。が、「自然と仲よくやっていく」精神も生き方も、ソローと共通しています。彼女はヒッピーの先駆者であったとも言えるように思います。

マリリン・モンローはハリウッドで生きて、大スターとなりました。しかしハリウッドは、彼女のこういう自由で独立した生き方とは相容れない世界です。彼女は折りにふれて絶妙な皮肉をつぶやいてみせています。その一つを（ちょっと長いので翻訳だけで）紹介しましょう。

「ハリウッドでは、女の美徳よりも髪型の方がずっと重要です。あなたは、どういう人であるかではなく、どう見えるかによって判断されるのです。ハリウッドは、キス一つに対して1,000ドル払い、魂には50セント払うところです。私には分かっています。私自身、前者の申し出を何度か拒絶し、50セントで生きながらえたのですから。」

ハリウッドは結局、モンローを正しく評価できず、いつまでたっても「セックス・シンボル」役ばかり押しつけます。で、1955年1月、モンローはついにハリウッドを見捨ててニューヨークに飛び出し、独立してしまいます。二十世紀フォックス社は狼狽し、古い契約を盾にとって彼女を法廷に訴えましたが、このドル箱を手放すことはできず、1年間の折衝の末、ついに彼女の独立を認め、彼女の希望にそった作品を作ることになります。この間にもモンローは、自分が全米一の人気スターであるにもかかわらず、念願の「すばらしい」（marvelous）女優になりたいという思いを実現すべく、民間の演劇研究所に入って演技を一から勉強し始めます。そして1956年6月には、アメリカの知性を代表するとされていた劇作家のアーサー・ミラーと結婚して、世間をアッと言わせます。どうでもいいことかもしれませんが、彼女は奴隷制反対のために戦ったリンカーン大統領のイメージと重ねてミラーを愛したそうです。そしてリンカーンを敬愛した「自由」の詩人ホイットマンの『草の葉』*Leaves of Grass*（1855年）を愛読していました。

マリリン・モンローがこのように「自分」本位の生き方に突き進み、天真爛漫な言葉遣いでアメリカの文化を語ったとしても、私生児同然に生まれ、母は精神に異常をきたし、孤児院に引き取られて成長し、大学などとはもちろん縁がなく、ようやく成功したハリウッドも飛び出してしまい、自分とまったく対照的な人生を築いていた知識人と結婚、果ては大統領（ケネディ）との仲まで噂されるようになった女性が、独立して生きていくことは、いかなる努力をしても難しいことでした。モンローは現実には身心ともに疲れ果て、流産その他、次々と病に犯され、神経も追いつめられ、ついに謎の死をとげるにいたるのです。モンローの伝記はこれらのことをめぐって、いろんな憶測を書きまくっています。しかし、そんなこととは別に、その死後、彼女のイメージは、ますます一個の人間、一個の女としての輝きを増し続けてきたのです。

モンローは写真によっても、言葉以上に多く語った人です。その1枚、ここに示すのは彼女の最も有名な写真とされるもので、映画『七年目の浮気』*The*

Seven Year Itch（1955年）でニューヨークの地下鉄の通風孔から吹き上がる風に、彼女のスカートがまくられているシーンです。当時の映画界はむやみと道徳的でしたから、実際の映画には、こんな派手なスカートまくれは撮られていません。これは映画の宣伝用に撮ったスチール写真（サム・ショー撮影）です。ここでは、モンローはスカートを抑えているようでありながら、風よもっと吹いて！　と言っているようです。スカートがまくれ、下半身が露呈すればするほど、自分の自由を感じる、といった思いを全身であらわしています。そして見物人（写真を見る人）も、それにまったく同感するのです。

もう1枚、とくに有名なのは、アメリカの郵便切手になった写真です（64頁参照）。1995年、「ハリウッドのレジェンドたち」シリーズの最初の切手として発行されました（32セント）。誰の手にも渡る切手ですから、モンローとしてはきわめて「おとなしい」ポーズの写真ですが、胸元に手をそえ、口元をちょっと開いています。モンローの写真はほとんどすべてが口を開いています。口をつむると、その緊張感が人を退けることを彼女は本能的に知っており、口をほんわか自然に開いて人を受け容れる雰囲気を出していたようなのです。大口を開いて、人の好さを強調しているような写真も多いです。そういう写真を見て、心暖まり、安心感を覚える人は多いでしょう。

本書の第2章では、アメリカが植民地の出発当初から「丘の上の町」たること使命としたという話が取り上げられています。これはイスラエルの建設にまでさかのぼるキリスト教神話にもとづいた話です。キリスト時代のこの地方は文字通りの「荒野」で、荒涼たる自然が広がり、夜になると真っ暗で、旅人も住民も出歩けない世界でした。そんな所を行く時、丘の上の町に明かりがともっているのを見ると、人は本当にほっとしたことでしょう。アメリカに植民地を建設しようとする人たちに、汝ら「丘の上の町」たれと言うのは、そういう明かりに、つまり「世の光」になれ、という意味です。アメリカは現実にはいまだに文明の「荒野」のような世界で、いろんな社会的緊張が渦巻いています。そういう世界で、現実の苦悩を踏みしだくようにして、あくまで明るく、口を開け、我が身を通して「自由」を呼び込もうとし続けるマリリン・モンローのイメージ、あるいは彼女の言葉は、「丘の上の町」の現代版、個人版であり、「女神」の効用と重なると言えましょう。

（亀井俊介）

アメリカの文化を知ろう [B-910]

Introduction to American Culture Culture-History- Politics-Economy

1 刷 2020年 3月 30日

著 者 亀井 俊介 Shunsuke Kamei
杉山 直子 Naoko Sugiyama
澤入 要仁 Yoji Sawairi
荒木 純子 Junko Araki
渡邊 真由美 Mayumi Watanabe

発行者 南雲 一範 Kazunori Nagumo
発行所 株式会社 南雲堂
〒162-0801 東京都新宿区山吹町361
NAN'UN-DO Co., Ltd.
361 Yamabuki-cho, Shinjuku-ku, Tokyo 162-0801, Japan
振替口座 : 00160-0-46863
TEL: 03-3268-2311（営業部：学校関係）
03-3268-2384（営業部：書店関係）
03-3268-2387（編集部）
FAX: 03-3269-2486

編集者 加藤 敦

製 版 日本ハイコム株式会社

装 丁 銀月堂

本文デザイン 銀月堂

検 印 省 略

コード ISBN978-4-523-17910-8 C0082

Printed in Japan

E-mail nanundo@post.email.ne.jp
URL http://www.nanun-do.co.jp/

アメリカ文化についての知識をさらに深めるこの１冊

アメリカ研究の精鋭が知識・見識を結集、ここに画期的な「文化を知る本」を実現！

アメリカ文化年表
文化・歴史・政治・経済

亀井俊介
［監修］

杉山直子・澤入要仁・荒木純子・渡邊真由美
［著］

「文化」を幅広くダイナミックに受け止め、高尚な学術・芸術だけでなく、政治も社会も戦争すらも「文化」の視点から年表化。大胆にして緻密。人種関係から男女関係まで、ハーヴァードから芝居小屋まで。世界や日本の動きも視野に収め、人間の「文化」の営みを具体的に描き出す。簡便で、信頼でき、読んで楽しい、「生きた」アメリカ通史！

A5 判 320 ページ　定価（本体 3,500 円＋税）
ISBN978-4-523-26572-6　C1036

南雲堂